PREMESSA

Questo libro è nato nel 1981, per sollecitazione e desiderio di pazienti e colleghi interessati a saperne di più sui metodi, ancora relativamente poco noti in Germania, che fanno uso di microdosi di essenze vegetali al fine di pervenire all'autoarmonizzazione della personalità umana.

Esso serve allo studio del metodo che, per desiderio del suo scopritore, il britannico Edward Bach (1886-1936), è liberamente messo a disposizione sia di coloro che esercitano la professione medica sia dei profani.

La descrizione dei 38 fiori è destinata a fornire alle persone che assumono una determinata essenza una più profonda conoscenza dei concetti razionali che consentono all'uomo di comporre i propri contrasti interiori.

Un'utile indicazione per i lettori profani è che il metodo Bach dà a tutti la capacità di dominare gli stati d'animo negativi, come, ad esempio, l'insicurezza, la gelosia, la timidezza, ecc., la cui origine sta in una debolezza caratteriale. Lo scopo che si vuole ottenere è la purificazione spirituale, la conoscenza di sé, lo sviluppo armonico della personalità, così da raggiungere il massimo equilibrio. Ne consegue anche, indirettamente, una migliore resistenza ai disturbi psichici e talora anche a quelli psicosomatici. Sarebbe errato considerare e porre l'azione delle 38 piante in relazione diretta con i sintomi organici patologici. Le essenze vegetali di Bach possono indubbiamente contribuire alla profilassi delle malattie organiche e sostenere, *a latere*, il trattamento specialistico, ma non sostituirsi ad esso. Quando, in questa sede, parleremo di diagnosi, pazienti, terapie o guarigione, tali termini non dovranno essere interpretati nell'accezione della medicina ufficiale.

Questa edizione, grazie alle esperienze di centinaia di amici, ha potuto essere integrata sotto molti e importanti aspetti e, soprattutto, resa più precisa nell'elencazione dei sintomi. Ma anche per il futuro, in vista di ulteriori edizioni, saranno bene accolte le esperienze di ogni categoria di lettori, che potranno scrivere a uno degli indirizzi riportati in fondo al volume.

I fiori per la preparazione delle essenze Bach vengono ancor oggi raccolti in zone non contaminate, nei punti precisi da lui indicati. Il sistema delle 38 piante copre tutte le condizioni negative del carattere e rappresenta un insieme in sé completo, che ha già dimostrato la propria efficacia in cinquant'anni di applicazione. Il Bach-Centre in Inghilterra si differenzia quindi nettamente dalle cosiddette «integrazioni» o «rielaborazioni» successive del sistema, dagli adattamenti delle essenze originali o dai riferimenti ai metodi di preparazione del Dr. Bach o del Bach-Centre. Desideriamo qui ringraziare tutti coloro che, in Germania o all'estero, hanno contribuito alla realizzazione di questo libro.

M.S.

Amburgo, aprile 1986

I

I FIORI DI BACH
METODO OLISTICO DI AUTOGUARIGIONE

La malattia non è né una crudeltà in sé, né una punizione, ma solo ed esclusivamente un correttivo, uno strumento di cui la nostra anima si serve per indicarci i nostri errori, per trattenerci da sbagli più gravi, per impedirci di suscitare maggiori ombre e per ricondurci sulla via della verità e della luce, dalla quale non avremmo mai dovuto scostarci.

Edward Bach

L'eterna validità di queste frasi scritte più di mezzo secolo fa dal medico britannico Edward Bach trova oggi sempre maggiore accettazione fra i sostenitori della «medicina umanistica», «psicosomatica» e della «guarigione olistica». Da alcuni anni, infatti, l'interesse per le essenze di Bach va crescendo a livello internazionale.

L'interpretazione olistica dei concetti di salute, malattia e guarigione deriva dalla continuità e globalità della vita e dall'assoluta specificità di tutti i sistemi in essa inclusi. La vita è per ciascuno di noi un viaggio unico, irripetibile in questa forma e il nostro stato di salute ci indica in che punto di questo viaggio ci troviamo in un dato momento.

Ogni sintomo patologico, sia esso organico, psichico o spirituale, ci dà un messaggio specifico, che ci serve per riconoscerlo, accettarlo e sfruttarlo per quel nostro viaggio che è la vita. Ogni vera guarigione è un'affermazione della nostra globalità, un rafforzamento della nostra salute fisica e salvezza spirituale.

Sotto questo aspetto, il sistema Bach può essere definito una «guarigione attraverso la riarmonizzazione della coscienza». Esso ripristina, nei circuiti della nostra personalità in cui la nostra energia vitale corre su binari errati o è bloccata, un contatto armonico con la nostra totalità, con la nostra reale fonte di energia.

«Guarisci te stesso» è il nucleo concettuale della filosofia di Bach. Infatti, in ultima analisi, siamo noi stessi, il «principio guaritore universale», o la «forza risanatrice divina» che è in noi a dare il via alla guarigione e a renderla possibile. Bach ha avuto l'intuizione che, in giorni non troppo lontani, le sue essenze sarebbero state utilizzate non solo nella medicina e nella pratica terapeutica, ma in ogni casa.

In questo senso, i suoi fiori, oltre che ad affiancare il trattamento professionale dei disturbi psicosomatici, servono anche a una purificazione spirituale da parte di persone che lavorano coscientemente a sviluppare la propria anima e ad alimentare la propria spiritualità.

Oggi il sistema Bach è difficilmente classificabile. Per la finezza del suo modo d'azione lo si potrebbe forse considerare affine all'omeopatia classica secondo Hahnemann e ad alcuni processi antroposofici e spagirici. Esso infatti non agisce, in uno stressante giro vizioso, sul corpo, ma a livello di sottili vibrazioni di energia, direttamente sul sistema energetico dell'uomo.

Prima di mettere a punto il suo sistema, Edward Bach lavorò come batteriologo e omeopata.[1] Spiritualmente, si sentiva legato, fra gli altri, a Ippocrate, Paracelso, Samuel Hahnemann,[2] dei quali condivide il postulato che non vi sono malattie, ma solo uomini malati.

Ma sminuiremmo Bach e la sua opera se ci limitassimo a definirlo, come taluni suoi colleghi hanno fatto, lo «Hahnemann dei nostri tempi».

Ciò che spinse nel 1930 quest'uomo allora di quarantatré anni ad abbandonare la sua redditizia attività professionale nella famosa Harleystreet, la strada londinese dei medici, e a dedicare gli ultimi sei anni della sua vita alla ricerca di un metodo di guarigione «più semplice e naturale», che non inducesse alterazioni o corruzioni, è nuovo e va oltre e si scosta, sotto molti importanti aspetti, da Hahnemann.

Ciò che rende il sistema nuovo e diverso rispetto all'omeopatia praticata sinora in Occidente, è riassumibile in tre punti:

1. La concezione bachiana di salute e malattia, cioè *l'approccio spirituale* della sua terapia, è radicato in un sistema di riferimento superiore, che trascende i limiti della singolarità dell'individuo. Ciò lo ha portato a un *nuovo metodo diagnostico*, non più orientato alla sintomatologia organica, bensì esclusivamente alle condizioni di spirito disarmoniche o sentimenti negativi, in un'accezione tuttavia più ampia rispetto all'omeopatia.

2. Nuovo e diverso per i nostri tempi è anche il *processo* semplice e naturale attraverso il quale Bach libera l'energia dei fiori dalla loro forma

---

[1] I sette nosodi da lui trovati sono parte integrante del tesoro internazionale dell'arsenale terapeutico omeopatico.

[2] Ai sostenitori dell'omeopatia interesserà sapere che E. Bach aveva già riassunto i principi della sua filosofia nel 1921, quando venne a contatto con gli scritti di Samuel Hahnemann per la prima volta. Ulteriori informazioni sulla sua personalità e sulla sua vita si trovano nell'introduzione al libro *Guarire con i fiori* (IPSA, Palermo 1989²). Inoltre nella biografia di Nora Weeks, *The medical discoveries of Edward Bach physician*, Daniel, London 1940.

materiale e la collega alla sostanza portante. Ciò conduce *direttamente*, cioè non attraverso il principio analogico, a un'attività armonizzatrice delle sue essenze, per le quali non vi è dosaggio eccessivo, né effetti collaterali, né incompatibilità con le altre forme di terapia.

3. Questo modello di attività «innocuo», nella migliore accezione del termine, rende accessibili i benefici del sistema, a scopo profilattico e terapeutico, a *un numero assai maggiore di persone* di quanto abbia sinora consentito l'omeopatia. Poiché, negli stati descritti da Bach, sono considerate tutte le debolezze caratteriali, non già neuropatologiche, comuni a tutti gli uomini, non occorre avere una formazione medica o psicologica per accostarsi con successo al sistema. Assai più importante è la maturità, assieme al dono di saper afferrare, alla capacità di pensare e di conoscere, e, soprattutto, a una predisposizione empatica e a una sana sensibilità per il prossimo.

II
COME AGISCONO I RIMEDI FLOREALI DI BACH

Attualmente non è possibile dare una spiegazione scientifica completamente soddisfacente del meccanismo d'azione delle essenze. Ipotesi ricavate dai settori della chimica molecolare, dell'informatica, della cibernetica, della psiconeuroimmunologia sono già state avanzate per l'omeopatia e altri metodi a base di microdosi. Queste ipotesi potrebbero forse essere applicabili anche al sistema Bach. Con l'impetuosa evoluzione delle conoscenze in questi campi del sapere è forse solo una questione di tempo perché si possano misurare e illustrare con metodi scientifici anche i cambiamenti energetici indotti dall'omeopatia.

Edward Bach ha comunicato con poche parole tutto ciò che riteneva importante per il suo metodo nelle opere *Heal Thyself* (*Guarisci te stesso*) e *The Twelve Healers and Other Remedies*. Ancor oggi, per chi viva la propria spiritualità non occorre niente più di questi scritti. E chi si interessa del sistema Bach dovrebbe leggere e rileggere *Guarisci te stesso* (in *Guarire con i fiori*, IPSA, Palermo 1989[2]).

Si è però visto che oggi non tutti sono in grado di capire e di accettare la semplicità e la grandezza del pensiero di Bach, espresso nel suo stile un po' antiquato. Quindi, nelle pagine che seguono, abbiamo cercato di spiegarlo e illustrarlo in una forma più attuale.

A integrazione, segue un'interpretazione dell'attività sotto l'aspetto psicodinamico, utilizzata spesso e volentieri dai professionisti a orientamento psicologico. E infine, per gli interessati, sono riportate indicazioni integrative ricavate dall'esperienza di una guaritrice esoterica.

A. L'INTERPRETAZIONE DI EDWARD BACH

Scriveva Bach nel 1934 sull'azione delle sue essenze di fiori:

> Fiori, cespugli e alberi non coltivati di ordine superiore hanno, grazie alla forza delle loro vibrazioni, la capacità di aumentare le nostre e di aprire i canali di comunicazione col nostro Io Spirituale; di inondare la nostra spiritualità con le virtù di cui abbiamo bisogno e di purificare con ciò le carenze caratteriali che sono all'origine delle nostre sofferenze. Come la bella musica e tutto ciò che è grande e ispirato, essi possono elevare la nostra spiritualità e portarci più vicino alla nostra anima. Per questo tramite esse ci danno pace e ci liberano dalle sofferenze. Non ci guariscono per il fatto di agire direttamente sulla malattia, ma perché inondano il nostro organismo con le vibrazioni positive del nostro Io Superiore, di fronte al quale la malattia si dissolve come neve al sole. Non vi è una vera guarigione senza un cambiamento del modo di vivere, senza la pace dell'anima, senza una sensazione di gioia interiore.

Per inverosimili che questi pensieri possano sembrare a molti in un primo momento, essi diventano tuttavia illuminanti una volta che siano accettati i presupposti da cui parte Bach, così come già avevano fatto i suoi grandi predecessori spirituali, Ippocrate, Paracelso e Hahnemann.

1. Creazione e destino

Su questo pianeta, la vita umana e l'uomo sono *parte di un più ampio piano creativo*. Noi viviamo entro un più vasto quadro di riferimento, in un'unità globalizzante, al modo di una cellula di un organismo.

Ogni uomo ha due aspetti: è un individuo inconfondibile, ma, grazie alle sue stesse caratteristiche individuali, è anche una tessera indispensabile del mosaico globale, del più ampio tutto.

Mentre nella creazione tutto è unità, ciascuno di noi è anche collegato a tutto, grazie alla forza di una vibrazione comune, superiore, che viene chiamata con molti nomi, come, ad esempio, «forza creatrice»,

[annotazioni manoscritte a margine: + Io Superiore; Anima → conosce compito uo; Tramite personalità; REALTÀ CONCRETA]

«principio vitale universale», «principio cosmico», «amore come ragione trascendente» o semplicemente «Dio».

L'evoluzione di ogni uomo segue, come ogni cosa nel nostro universo, dall'arabesco di ghiaccio sulla finestra fino alla nascita e alla morte dell'intero sistema solare, un principio di azione programmato, una legge interiore. Ogni uomo ha una sua matrice con un determinato potenziale energetico, una sua missione, un suo compito, un suo destino o comunque lo si voglia chiamare.

Ogni uomo ha, come parte di una più ampia concezione creativa, un'*anima* immortale – il suo vero Io – e un *Io fisico* mortale – il suo Io fenomenico o *personalità*. Strettamente collegato alla prima è il suo *Io Superiore*, che funge, per così dire, da mediatore fra l'anima e la personalità.

L'anima conosce il compito dell'uomo e avverte l'impulso a esprimerlo con l'aiuto dell'*Io Superiore* e per il tramite della personalità, e a trasformarlo in realtà concreta. La personalità, invece, non lo conosce.

Il potenziale che la nostra anima può realizzare attraverso la personalità non è però di natura concreta. Si tratta piuttosto di qualità ideali di ordine trascendente, definite da Bach «virtù della nostra natura superiore». Ne fanno parte, ad esempio, mitezza, fortezza d'animo, coraggio, costanza, saggezza, gioia, volizione. I grandi poeti di tutti i tempi ne hanno decantato la nobiltà. Tali virtù sono anche definibili come concetti spirituali archetipi dell'uomo, la cui realizzazione, nell'ambito di un tutto più ampio, crea il senso della vera felicità.

Se queste qualità non vengono realizzate si arriva prima o poi alla sensazione contraria: l'infelicità. Le qualità non realizzate si presentano ora nel loro aspetto negativo, come «mancanze», ad esempio, egoismo, crudeltà, odio, orgoglio, ignoranza, instabilità, avidità. Queste mancanze, come dice Bach, e non solo lui, sono la vera causa delle malattie.

Ogni uomo ha il desiderio inconscio di vivere in armonia, poiché la natura, intesa come grande campo di energia, tende sempre a porre in essere lo stato di energia più efficiente.

2. Salute e malattia

SALUTE. Se l'Io fisico sapesse e potesse procedere interamente in armonia con la propria anima, che è, come abbiamo detto, parte della più ampia unità dell'universo, l'uomo vivrebbe in completa armonia. L'energia creatrice universale divina potrebbe esprimersi, attraverso l'anima e l'Io Superiore, nella personalità e noi uomini saremmo forti, sani e felici come parti vibranti in sintonia col più ampio campo energetico cosmico.

MALATTIA. Là dove la personalità non è collegata, attraverso la sua anima, al grande campo di energia cosmico, se non vibra in sintonia con esso, dominano la perturbazione, la sorpresa, l'attrito, la distorsione, la disarmonia, la perdita di energia. Questi stati si susseguono, dai meno marcati ai più forti, e si manifestano anzitutto come stati d'animo negativi, poi come malattie organiche. La malattia organica ha la funzione di ultimo correttivo. Essa è, per usare un'espressione semplicistica, un campanello d'allarme che segnala in maniera evidente la necessità d'intervenire senza indugio per cambiare qualcosa, se non si vuole arrivare, prima o poi, al collasso completo.

Bach dice che le vere cause della malattia sono, in sostanza, solo due malintesi o errori di base.

Il primo errore è rappresentato dal fatto che la personalità non vive in armonia con la propria anima, ma nell'illusione di un'esistenza separata.

Nei casi limite, la personalità non è più in grado di riconoscere l'esistenza della propria anima e di un Io Superiore, poiché accetta «materialisticamente» solo ciò che si può «vedere e toccare». Alla lunga, essa finisce per tagliarsi dal proprio cordone ombelicale, s'inaridisce e si distrugge.

Ma più spesso la personalità disconosce solo in parte le intenzioni della propria anima e agisce secondo una limitata comprensione delle interrelazioni che ha con essa.

In tutti i settori in cui la personalità si è allontanata dal grande flusso di energica cosmica e, come dice Bach, dall'amore, le qualità positive si trasformano in caratteristiche distruttive e portano a stati d'animo o sensazioni negative.[1]

Il secondo malinteso è che la personalità rifiuta il «principio di unità». Se la personalità agisce contro il volere dell'Io Superiore e dell'anima, agisce anche, automaticamente, contro gli interessi dell'Unità Globale al cui campo di energia la sua anima è collegata.

Ma soprattutto la personalità agisce contro il principio di unità quando cerca di imporre il proprio volere in modo contrastante col dettato del suo Io Superiore. Così facendo, essa non impedisce solo lo sviluppo degli altri esseri, ma turba anche, poiché tutto è collegato con

---

[1] «La giustizia senza l'amore rende duri. La fede senza l'amore rende fanatici. Il potere senza l'amore rende violenti. Il dovere senza l'amore rende pedanti. L'ordine senza l'amore rende limitati». Questa citazione di un anonimo lo dice in maniera perfetta.

tutto, il campo di energia cosmica globale, cioè il processo evolutivo dell'intera umanità.

Ogni malattia è preceduta da uno stato d'animo negativo, che si basa su un'interpretazione errata di uno dei grandi concetti archetipi dell'umanità o virtù. Facciamo un esempio.

Lo stato d'animo negativo sarebbe un comportamento irrispettoso, egoistico, suscitato dall'avidità come virtù mal usata. L'avidità è il rovescio negativo dell'amore del prossimo e della tolleranza.

In merito, così spiega Bach in *Guarisci te stesso*:

> L'avidità conduce alla ricerca di potenza. È una negazione della libertà e dell'individualità di ogni anima. Anziché riconoscere che ciascuno di noi è su questa terra per svilupparsi liberamente secondo il dettato della sola Anima, la persona dominata dall'avidità vuole dominare, plasmare e comandare, e usurpa, così facendo, il potere del Creatore.
>
> Se l'uomo insiste in questa «mancanza», contro la voce del suo Io Superiore, ecco che nasce un conflitto al quale corrisponde una specifica manifestazione patologica organica.
>
> Così, il risultato dell'avidità e della prepotenza è costituito da quelle malattie che rendono il malato schiavo del suo stesso corpo e gli impediscono il godimento dei suoi desideri e delle sue bramosie [...][1]

3. L'approccio terapeutico di Edward Bach

Nella sua diagnosi, Bach parte dalla legge dell'anima, cioè da un ambito causale superiore, anziché, come nella maggioranza dei sistemi occidentali, dal punto di vista limitato dell'io fisico e del suo raggio di azione.

Nella sua diagnosi, Bach si orienta non già in base ai sintomi organici, ma esclusivamente in base agli stati d'animo negativi, che, come conseguenza della contraddizione esistente fra le aspirazioni dell'anima e i desideri della personalità, possono diventare causa di malattie organiche.

Questi stati d'animo negativi non vengono tuttavia «combattuti» come sintomi organici, in quanto, così facendo, ne manterremmo l'energia. Vengono piuttosto, per così dire, inondati di vibrazioni ener-

---

[1] Questo meccanismo verrà chiarito con un esempio di anoressia mentale. Bach dice: il sofferente è schiavo del suo corpo. In questo caso la ragazza era schiava del suo forte (e «sterile») istinto sessuale. Inoltre, la malattia impedisce la realizzazione dei propri desideri e delle passioni: la malattia, cioè il rifiuto di mangiare, rallenta o impedisce lo sviluppo come donna.

getiche armoniche superiori, che, secondo l'espressione di Bach, «li dissolvono come neve al sole». Come avviene ciò?

I fiori usati da Bach provengono, come egli dice, «da piante di ordine superiore», ciascuna delle quali incorpora un preciso concetto spirituale o la cui energia vibra secondo una precisa frequenza. Ciascuno di questi concetti spirituali del mondo vegetale corrisponde a un determinato concetto spirituale nell'uomo, cioè ad una precisa frequenza vibratoria nel campo energetico umano. Nell'anima dell'uomo, i 38 concetti spirituali dei fiori di Bach sono tutti presenti come concetti dell'anima, potenziali energetici, virtù o scintille divine.

Ora, in un determinato concetto spirituale o potenziale energetico umano sorge un conflitto fra aspirazioni dell'anima e desideri della personalità, la frequenza vibratoria viene distorta disarmonicamente nel campo energetico e rallentata. Questa distorsione influenza tutto il campo energetico dell'uomo e ne pregiudica lo stato d'animo globale. Si arriva, per usare le parole di Bach, a uno stato d'animo o a un umore negativo.

Come agisce, in base a questa teoria, un'essenza di fiori Bach?

Poiché essa vibra secondo la stessa frequenza energetica armonica che avrebbe avuto il suo corrispondente concetto spirituale se questo non fosse stato disarmonicamente distorto e rallentato, l'essenza si mette in contatto con questo concetto spirituale umano e con la sua frequenza armonica ripristina l'armonia attraverso la risonanza vibratoria.[1]

In altri termini, l'essenza, come una sorta di catalizzatore, ripristina in questo punto il contatto fra l'anima e la personalità. L'anima riesce a farsi nuovamente sentire da quest'ultima. Là dove dominavano la disarmonia e la distorsione rifluisce nuovamente la vita. O, come dice Bach, «dove l'uomo non era più integralmente se stesso» l'integrità viene recuperata.

Dalla distorsione e dalle limitazioni umane, la personalità ritorna ai potenziali spirituali e alle virtù che danno senso e armonia alla nostra esistenza su questo pianeta.

4. Un metodo semplice e nuovo di potenziamento

Le piante sono state usate a scopo terapeutico fin dalle origini dell'umanità. Bach distingue però fra piante che leniscono le sofferenze – com'è per la maggior parte delle piante officinali – e piante che sono dotate di virtù guaritrici divine. A queste ultime egli è arrivato per via intuitiva e le ha chiamate «*the happy fellows of the plant word*».

---

[1] Qualcosa di simile accade nella terapia con i colori e con la musica.

A quell'epoca, la sua sensibilità era così sviluppata che gli bastava mettere sulla lingua un petalo della pianta in questione per avvertirne l'azione su tutto l'organismo, sull'anima e sullo spirito. È interessante che si tratti sempre di piante atossiche, non utilizzate per l'alimentazione umana e per lo più d'aspetto modesto, che ne rende insospettabili le qualità. Alcune vengono usate, in altra forma, anche nella fitoterapia, ma per la maggior parte sono considerate «erbacce». Queste piante debbono essere raccolte allo stato selvatico e in determinati luoghi non contaminati dall'uomo. Se coltivate, perdono ogni proprietà guaritrice.

L'aspetto di questi fiori è semplice quanto il processo di potenziamento[1] scoperto da Bach. Processi analoghi erano probabilmente usati nella medicina indiana. Per liberare lo spirito o «essenza» delle *piante* dall'involucro fisico,[2] Bach ha scoperto il «metodo del sole» e il «metodo della cottura».

Ha usato il primo per tutte le piante che fioriscono nella tarda primavera, quando il sole ha raggiunto la sua intensità massima. I fiori, se possibile di piante diverse, debbono venire raccolti di mattina in un giorno di sole senza nubi. Come protezione, si tiene una foglia tra il pollice e l'indice, così che i fiori non vengano a contatto con l'epidermide. Poi, si mettono questi fiori in un piatto pieno d'acqua di fonte, finché la superficie sia interamente coperta. Il piatto deve restare al sole finché l'essenza dei fiori non si è trasmessa all'acqua. Questa, così impregnata, viene poi versata in una bottiglia contenente alcol. Il preparato si mantiene illimitatamente e costituisce la base per la preparazione delle confezioni finali.

Il metodo di cottura viene usato prevalentemente per i fiori degli alberi, degli arbusti e dei cespugli a fioritura molto precoce, quando il sole non ha ancora raggiunto la sua massima intensità. I fiori vengono raccolti con lo stesso metodo già descritto, dopo di che vengono fatti cuocere, filtrati più volte e trasferiti in bottiglie con alcol. In questo metodo di potenziamento, assai più semplice del processo di dinamizzazione dell'omeopatia o di quelli di preparazione dei medicamenti antroposofici, Bach ha individuato i seguenti vantaggi:

■ L'essenza delle piante non viene alterata né danneggiata. Il fiore, nel quale si concentra l'energia vitale della pianta, viene colto quando è perfettamente maturo, cioè poco prima che cada.[3]

[1] Da non confondere col processo di dinamizzazione in omeopatia classica, processo che viene attuato mediante «succussione».
[2] Da non confondere con il concetto chimico di essenze.
[3] Ci sono tuttavia pochi giorni felici in cui si trovano entrambe le cose: cioè, il tempo soleggiato senza nubi e il completo stato di maturità delle gemme.

■ Non passa tempo fra la raccolta e la preparazione. Il tutto è un processo armonico di alchimia naturale, al quale collaborano le potenti forze dei quattro elementi: la terra e l'aria, per portare la pianta a maturità, il sole o il fuoco per liberarla dal suo involucro vegetale, l'acqua come medium portante, per la sua alta solubilità.

Scriveva Bach per i suoi colleghi omeopati: «Non lasciate che la semplicità del metodo vi distolga dal ricorrervi, poiché quanto più avanti vi porteranno le vostre ricerche, tanto più vi si farà evidente la semplicità di tutta la creazione».

5. «Simplicity» o semplicità: la base del sistema Bach

Il concetto di semplicità corre il rischio, in questo nostro mondo che va facendosi sempre più complesso, di venir confuso con quello di «primitività». La semplicità è collegata all'unità, al compimento e all'armonia. È questa la ragione per cui ciascuno di noi si sente attratto dalle cosiddette «cose semplici della vita». E per recuperare l'unità e la semplicità dietro la differenziazione e l'apparente complessità di un evento, occorre avere, oltre all'obiettività, anche una capacità di analisi e di sintesi, una disponibilità di fondo a vedersi come parte di un tutto, governato da un principio creativo semplice e unitario.

Non è certo un caso che la maggioranza dei grandi naturalisti, giunti alla fine della vita, abbiano riconosciuto questa verità. Lo scopo superiore e, insieme, il risultato della terapia di Bach è appunto il ripristino e il rafforzamento di questa concezione di base.

B. ESEMPIO DI INTERPRETAZIONE PSICODINAMICA DELL'ATTIVITÀ DEI FIORI

Molti medici a orientamento psicologico che ricorrono al sistema Bach basano la loro interpretazione sulla trasformazione dell'autocoscienza e sul processo di crescita spirituale. Così facendo corrono però il rischio di restare imprigionati nei limiti della propria personalità e di non afferrare appieno l'approccio spirituale di Bach.

Come questi, anch'essi partono dal presupposto di un Io Superiore, che può esprimersi attraverso l'io fisico o «personalità». Secondo tale interpretazione, il processo di crescita si evolve in diversi cicli, indipendenti l'uno dall'altro, ma integrantisi.

Oltre al ciclo di sviluppo organico evidente a tutti, vi sono anche cicli di sviluppo dello spirito e dell'anima, per non citare che i più importanti.

Scopo della vita è percorrere e vivere questi cicli con crescente con-

1. Piano della vita dell'Io Superiore per lo sviluppo della personalità.

2. Personalità non sviluppata del tutto. I potenziali non vengono completamente sfruttati.

3. Una personalità del tutto sviluppata. Tutti i potenziali sono pienamente sfruttati.

sapevolezza, così da realizzare, nel corso della propria esistenza fisica, l'intero potenziale dell'Io Superiore. Tutto ciò che contribuisce a promuovere questo processo di realizzazione cosciente è fondamentalmente positivo, anche se, in un primo momento, può apparire un'esperienza negativa. Tutto ciò che offusca la coscienza è negativo e porterà, prima o poi, alla malattia. In questa concezione psicodinamica, è determinante cercar di raggiungere ed accettare nella terapia i cambiamenti costruttivi. A titolo illustrativo, riportiamo un esempio estremamente semplificato.

L'Io Superiore vorrebbe esprimere il proprio potenziale di «sicurezza di sé e piacere del rischio» attraverso la personalità. Trasmette dunque i corrispondenti impulsi energetici, che vengono afferrati da quest'ultima. A una persona viene l'idea di aprire un negozio di fiorista. Usa l'energia che fluisce in lui dall'Io Superiore, asseconda con slancio l'idea e, dopo le inevitabili esperienze positive e negative, diventa un buon fiorista. Che cos'è avvenuto? Il potenziale dell'Io Superiore si è espresso nella personalità. Quest'ultima è diventata più ricca.

Sfortunatamente, gli impulsi dell'Io Superiore non sempre vengono così prontamente recepiti e realizzati dall'individuo. Assai spesso avviene quanto segue: esperienze negative nell'infanzia, errori nell'educazione, traumi ambientali, eccetera gli fanno apparire indesiderabili i messaggi dell'Io Superiore. Il soggetto cerca di far tacere dentro di sé questi impulsi e risponde con una reazione di rifiuto, ad esempio con ansia, insicurezza, scoraggiamento, fuga o indecisione. A questo punto, la carica di energia dell'Io Superiore viene bloccata. Il potenziale non può venire realizzato.

Nel nostro esempio, poniamo che il soggetto, durante l'infanzia,

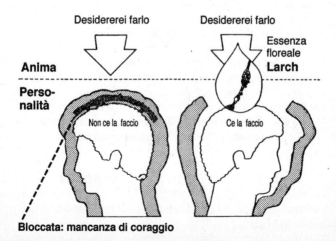

Bloccata: mancanza di coraggio

abbia assistito al fallimento del padre in un'attività analoga. All'idea di aprire un negozio di fiorista reagisce senza coraggio. Può, ad esempio, dire a se stesso: «Non oso gestire un negozio di fiorista. Altri possono farlo, ma io no». Il conflitto fra l'impulso dell'Io Superiore e la reazione di fuga dell'io fisico non solo non arricchiscono la personalità, ma la impoveriscono in due modi:

■ Anzitutto, una parte del potenziale non viene realizzata. Ciò significa che viene bloccata una certa quantità di preziosa energia psichica.

■ In secondo luogo, questo confronto comporta quotidianamente uno spreco di altra energia psichica, che non scorre dalla fonte inesauribile dell'Io Superiore, ma deve, per così dire, venir presa dal patrimonio personale e sottratta, quindi, ad altre attività.

Ora, vediamo che cosa succede somministrando a questa persona Larch, adatto «a coloro che si considerano meno capaci e abili degli altri...».

Poiché esso vibra sullo stesso livello di frequenza del potenziale dell'Io Superiore, è in grado di mettersi in diretto contatto col suo potenziale di energia.

Esso supera il blocco, che vibra a livelli di frequenza ridotti, disarmonici, privi dell'ampio respiro della più alta frequenza armonica. Così il potenziale dell'Io Superiore acquista forza e può prendere le giuste misure per eliminare completamente tale blocco.

Nel nostro esempio, il soggetto prende coscienza del suo atteggiamento negativo d'insicurezza e comincia improvvisamente a vedere le cose in tutt'altra luce. Pensa: «Non è detto che debba succedermi quello che è successo a mio padre. Perché non dovrei poter aprire un negozio di fiorista? Anche altri lo fanno. Ci proverò anch'io. E se la cosa non funzionerà, avrò sempre fatto un'esperienza».

È ovvio che questo processo non procede così linearmente, ma avrà sviluppi e regressi. Il risultato, all'eliminazione del blocco, sarà che l'energia dell'Io Superiore potrà venire sfruttata pienamente dalla persona. Inoltre, il soggetto avrà nuovamente a disposizione quell'energia psichica che gli occorre nella vita quotidiana per vincere le reazioni di rifiuto. La personalità si è così doppiamente arricchita.

C. INTEGRAZIONI DI NATURA ESOTERICA

Anzitutto, alcune interessanti riflessioni di natura esoterica sul rapporto uomo-fiore.

Da sempre, il fiore è stato considerato e usato dall'uomo come simbolo di bellezza e di sviluppo delle più alte facoltà. Si pensi alla rosa dei Rosacrociani e dei Sufiti o al loto millefoglie della filosofia indiana.

E questo perché quando l'uomo comparve sul pianeta Terra per sviluppare il proprio corpo fisico, la pianta era in una fase di sviluppo evoluzionistico già molto avanzata. Pertanto, l'umanità è debitrice di gran parte della propria struttura alle energie che seppe trarre dal regno vegetale già quasi perfetto.

Il maestro tibetano Djval Kul ha affermato[1] che anche oggi sussiste un diretto collegamento fra l'inconscio dell'uomo e il regno vegetale. Quindi, l'uomo può, superando la barriera del proprio inconscio, mettersi in contatto, attraverso l'essenza della pianta, con la sua propria essenza o Io Superiore e comporre le disarmonie che ha in se stesso.

L'interpretazione esoterica di questa attività chiarisce molto di quanto Bach scrive nella sua opera *Heal Thyself* (*Guarisci te stesso*) e quanto segue si basa su studi ed esperienze di Ioanna Salayan, trasmesse nella terminologia di Alice Bailey.

Essa interpreta l'umanità come un campo di energia con sette diversi livelli che si influenzano ed integrano reciprocamente: di questi solo il corpo fisico è visibile agli occhi dell'uomo normale. Ogni livello vibra a una diversa frequenza di energia. I sei livelli non visibili vengono riuniti sotto l'unico concetto di «aura».[2] Quest'interpretazione è utilizzata in forma diversa da quasi tutte le scuole spirituali.

Nel primo livello dell'aura, quello etereo, sono localizzati i Chakra, come punti di raccolta e di distribuzione dell'energia. Essi sono collegati con diversi altri livelli del campo energetico e ruotano secondo frequenze diverse, che vengono avvertite dai sensitivi sotto forma di colori.

L'aura abbraccia tutti i livelli conoscitivi ed esperienziali della nostra personalità, che viene guidata dall'Io Superiore. In questa concezione, esso costituisce, al quarto livello, quello transpersonale, dell'aura, solamente il ponte fra la persona fisica mortale e l'anima immortale, e la persona mortale, a sua volta, non è che una delle molte forme di espressione dell'anima immortale.

Scopo della vita è di realizzare le intenzioni dell'anima nella persona fisica, attraverso l'Io Superiore.

Secondo questa interpretazione, la malattia è disarmonia o distorsione delle vibrazioni entro o fra i diversi livelli dell'aura e dell'Io Superiore. Il modello informativo di questa distorsione delle vibrazioni è avvertibile al primo livello, quello etereo – che segue leggi temporali di-

---

[1] Negli scritti di Alice Bailey.
[1] Vedere illustrazione a pag. 26. Qui si trovano tuttavia soltanto quattro dei settori importanti per questo tema.

1. Eterico
2. Emozionale/Astrale
3. Mentale
4. Transpersonale

o Chakra

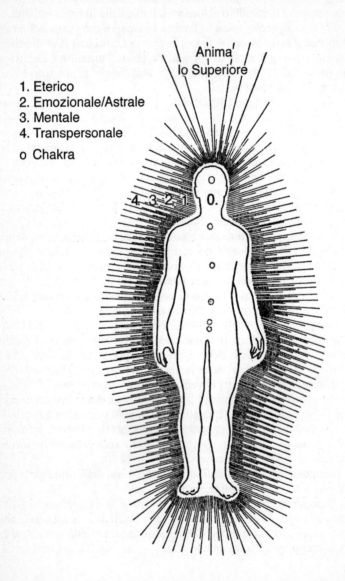

verse rispetto al corpo fisico – già settimane, mesi, talvolta addirittura anni, prima di manifestarsi organicamente.

Alcuni sensitivi avvertono questi modelli informativi disarmonici come ombre, altri come radiazioni disarmoniche. Se si cancellano queste disarmonie già a livello etereo con metodi omeopatici, esse non si manifesteranno più nell'organismo. La salute è l'equilibrio vibratorio armonico fra tutti gli strati dell'aura e dell'Io Superiore.

L'origine della maggior parte delle malattie di cui oggi soffre l'umanità è radicata, secondo il pensiero esoterico, in minima parte a livello mentale (i cosiddetti concetti errati, i principi mal compresi), e in larga parte a *livello emozionale*, cioè al livello di emozioni inconsce e di reazioni emotive soggettive, che vengono o bloccate o iperstimolate.

Ciò porta a distorsioni di vibrazione e quindi a stati negativi, come ansia, odio, rabbia, impazienza, preoccupazione, ecc., che agiscono anzitutto sul sistema nervoso, poi anche sugli altri organi.

Oggi si può iperstimolare costantemente il nostro livello emozionale con ogni sorta di droghe, dalla nicotina all'alcol, all'hashish, all'abuso di spettacoli televisivi, alla musica rock ossessiva fino al bombardamento di informazioni di ogni genere.

Si può notare con quanta coerenza e «progressismo» Bach con la sua terapia si sia accostato a questi stati emozionali negativi.

In base a questo quadro, che cos'altro può interessarci per una più profonda comprensione del metodo Bach?

Bach afferma che tutte le essenze di fiori entrano direttamente in contatto con l'Io Superiore della persona e quindi diventano attive nel nostro intero essere, in tutte le parti dell'aura. Poiché i livelli di questa non seguono le leggi spazio-temporali del corpo fisico, una malattia in formazione può essere guarita già prima che sia conclamata a livello organico. Ciò chiarisce perché Bach si sia sempre riferito all'azione preventiva dei suoi concentrati.

Il fatto che le essenze di fiori entrino direttamente in contatto con l'Io Superiore dell'uomo chiarisce anche perché esse siano compatibili con qualsiasi medicamento e terapia, che agiscono solo su un livello limitato di vibrazioni, per lo più a livello fisico. I fiori di Bach agiscono, come impulsi energetici divini, su tutti i livelli di vibrazione.

I sensitivi vedono o avvertono nei loro pazienti, subito dopo l'assunzione dei concentrati di fiori, un aumento dell'attività di tutta l'aura. Molti sperimentano una reazione diretta in un determinato Chakra, legata anche in parte a una visione di colori. Altri, in prove a doppio cieco,[1] descrivono il concetto corrispondente all'energia dei fiori.

---

[1] Dove né lo sperimentatore in questione né il direttore del protocollo sanno di quale essenza si tratta.

Comunque – e su questo punto non s'insisterà mai troppo –, questi fenomeni sono certamente interessanti, ma logicamente sempre del tutto soggettivi. Non possono mai essere generalizzati, anche se alcuni autori cercano di farlo.

Così, il confronto fra le affermazioni di tre diversi autori sui punti in cui agiscono i fiori di Bach ai diversi livelli dell'aura, ha dato gli stessi risultati solo per quattro dei 38 fiori.

In questo senso, queste integrazioni di natura esoterica debbono essere considerate non più di incitamenti a una riflessione personale per tutti coloro che s'interessano di questi argomenti.

III
COME TROVARE IL FIORE GIUSTO

Non occorre alcuna conoscenza scientifica per poter usare i concentrati di fiori. Chi voglia ricavare il massimo vantaggio da questo dono di Dio deve mantenerli nella loro originaria purezza, immuni da ogni teoria e considerazione scientifica, poiché nella natura tutto è semplice.

Edward Bach

«Cura il malato, non la malattia» è il principio fondamentale della terapia di Bach. Chi è l'uomo che hai davanti a te e quali sono le sue condizioni spirituali? L'esperienza della vita e una sana comprensione degli uomini devono consentirci di comprendere stati d'animo come l'ira, la paura o l'insicurezza. Ma sempre in base a una premessa determinante.

A. PRIMA CONOSCERE SE STESSI, POI DIAGNOSTICARE PER GLI ALTRI

Prima di diagnosticare per gli altri bisogna conoscere se stessi. Solo allora, quando si è indagato il proprio io, si può capire un altro essere. Occorre inoltre avere la certezza, per quanto è umanamente possibile, di non considerare gli altri solamente attraverso il filtro delle proprie paure, delle proprie inibizioni, dei propri pregiudizi.

Quindi, tutti coloro che hanno esperienza del metodo Bach raccomandano di provare su se stessi i concentrati di fiori per almeno un anno prima di azzardarsi a emettere diagnosi sugli altri. Si raccomanda quindi di mettersi anzitutto in «trattamento» da uno specialista del metodo e di osservare come si sperimenta su se stessi l'azione dei fiori. Come ci si sente quando si ha bisogno di un fiore? E come ci si sente dopo averlo assunto?

Ciò è relativamente facile quando ci si trova già in una situazione spirituale anomala, come sorpresa, paura esistenziale, crisi decisionale. È più difficile quando il proprio processo evolutivo scorre senza particolari alti e bassi.

È tranquillizzante sapere che anche con un'autodiagnosi approssimativa non si provoca alcun male. Quando una frequenza floreale è sbagliata, l'Io Superiore la identifica come «non necessaria» ed essa non ha alcuna risonanza nel nostro sistema energetico. In questi casi essa non ha dunque alcuna azione, a differenza della farmacopea ufficiale, che agisce sempre e comunque sul metabolismo.

È anche importante tener sempre presente che i sintomi elencati nei seguenti capitoli si limitano a descrivere delle tendenze. Non ci si deve lasciar distogliere da questo fatto, ma sfruttare tali sintomi come punti di partenza per il riconoscimento vero e proprio della situazione energetica concreta e sempre unica.

Esperienze di autoterapia

Il lavoro con i fiori di Bach induce sempre un processo intensivo di autoconfronto, nel quale si deve controllare se proprio quei fiori il cui concetto si riesce meno ad afferrare non siano quelli di cui si ha maggiormente bisogno. Vi sono tendenze caratteriali di fronte alle quali si è completamente ciechi.

Solitamente, nel corso dell'autoterapia, i problemi vengono vissuti nella zona intermedia fra coscienza e subconscio e debbono anzitutto venir riconosciuti sul piano esistenziale, per poi poterli risolvere. Una volta che ciò sia avvenuto, occorre lavorare, in base alle esperienze, sui blocchi precedentemente formatisi durante lo sviluppo, secondo una sequenza a ritroso, fino ad arrivare all'infanzia. Così facendo, possono insorgere «crisi della coscienza» più o meno gravi, che spesso sono necessarie per arrivare a un flusso di energia. In molti casi il problema deve essere rivissuto con dolore, per poter mettere in atto una spinta sufficiente a produrre un cambiamento interiore. Le esperienze, qui, sono comunque assai diverse e sempre del tutto individuali. Non esistono due uomini uguali e, dunque, due reazioni uguali. Ciascuno vive i fiori Bach secondo il proprio carattere.

L'intensità della reazione sembra essere correlata al grado di sensibilità, all'apertura ai cambiamenti e alla disponibilità ad assumersi la responsabilità del proprio sviluppo e quindi anche del proprio stato di salute.

Suggerimenti per imparare a conoscere più rapidamente i fiori di Bach

Poiché i fiori di Bach rappresentano 38 concetti spirituali archetipici dell'uomo, Julian Bernard propone un esempio tanto istruttivo quanto divertente: «Chi, fra i personaggi delle nostre fiabe, ha bisogno di concentrati di fiori, e di quali?». Cenerentola, ad esempio, sarebbe un tipo Centaury: si lascia sfruttare da tutta la famiglia e non ha sufficiente forza di volontà per rifiutarsi. Poiché tuttavia non ha la sensazione di essere una «povera vittima», non ha contemporaneamente bisogno anche di Willow. Poiché essa finisce per sposare il principe, le sue due sorellastre avranno certo bisogno di qualche goccia di Holly, contro l'odio e l'invidia. Anche i classici forniscono un inesauribile tesoro diagnostico. Che cosa ordinereste ad Amleto? Senza dubbio alcuno Scleranthus contro l'indecisione «Essere o non essere...». E inoltre, Mustard contro la malinconia e Cherry Plum contro la follia e i pensieri suicidi.

Ecco un altro utile esercizio: scorrete col pensiero la vostra vita passata e cercate di capire le situazioni spirituali dei diversi periodi. Che tipo scolaro eravate? Un Agrimony, cioè allegro esteriormente, ma ben diverso dentro? O, come Clematis, sempre lontano con la testa?

Riflettete sulle situazioni di crisi passate e richiamate alla memoria l'eco spirituale di allora. Forse da piccolo avete rischiato di annegare: Star of Bethlehem, e da allora avete paura dell'acqua: Mimulus. In determinate circostanze, lo shock di allora s'insinua nel vostro sistema energetico e lo si può alfine guarire. Osservate le vostre reazioni quando siete molto stanco, o vi trovate in una situazione di crisi o dovete prendere una decisione difficile. In questi casi, si sperimenta a nudo la propria personalità, con le sue debolezze e caratteristiche ostacolanti, senza abbellimenti o giustificazioni intellettuali.

Se si è sperimentato su di sé la ricca azione spirituale dei fiori Bach, si può prendere in considerazione la possibilità di aiutare gli altri, ma ci si deve comunque chiedere, nel silenzio della propria anima, perché lo si vuol fare. Quali sono i motivi. È solo per servire il prossimo? O cos'altro ci spinge? Forse, l'avidità di denaro, il desiderio di esercitare un'influenza, la ricerca di maggiori contatti o lo sfruttamento di una richiesta di mercato?

Quanto più questi e altri analoghi motivi personali limitati, dai quali nessun uomo può essere totalmente immune, sono presenti, tanto minori saranno, a lungo termine, i risultati, poiché il trattamento non verrà guidato dall'Io Superiore in base a leggi spirituali.

Dovrà quindi essere costantemente in primo piano il perfezionamento della propria personalità secondo le leggi divine. O, come dice coerentemente Bach: il più grande dono che un uomo possa fare a un altro è di essere egli stesso felice e pieno di speranza, poiché così guarirà l'altro dalla sua prostrazione. In altri termini: con una frequenza vibratoria armonica si armonizza anche la frequenza vibratoria altrui.

B. DIAGNOSTICARE PER GLI ALTRI

Premettiamo dieci principi base già noti, ma che meritano sempre di essere riconsiderati:

1. Controllate anzitutto, prima di ogni diagnosi, la vostra disposizione spirituale. Cominciate a operare solo quando avete la sensazione di essere al centro del vostro io, in contatto col vostro Io Superiore.

2. Una buona diagnosi non avviene a livello intellettuale. Lasciate che l'altro agisca su voi e cercate di avvertire attraverso le sue parole come stanno veramente le cose. Si deve sempre operare con la forza dell'amore, che viene dal cuore, non dalla testa.

3. Nella diagnosi, voi, come medici, prendete parte al processo di guarigione. Deve sempre esservi una comunicazione fra il vostro Io Superiore e l'Io Superiore del paziente.

4. Considerate l'altro come «prossimo», non come un «caso». Un uomo può realmente aprirsi solo in un'atmosfera di assoluta fiducia.

5. Coinvolgete quindi il più possibile l'altro nel processo diagnostico. Non partite da uno schema precostituito. Lasciatelo partecipare alla determinazione dell'atmosfera diagnostica, eventualmente lasciate anche che scelga da sé il suo medium.

6. Non fate esibizione di autorità. Guardatevi dal giudicare. E non cercate di avere ragione ad ogni costo, anche inconsciamente.

7. Lo scopo più importante della terapia Bach è di voler stimolare l'Io Superiore degli altri e di guarire se stessi. «Guarisci te stesso!» Ciò significa anzitutto far sì che l'altro riconosca il suo stato o la sua malattia come una parte legittima della propria personalità, che ne capisca il significato e se ne assuma interiormente la responsabilità, senza con ciò condannarsi. Ma deve coscientemente aspirare a un cambiamento e sapere che in lui avverrà una trasformazione.

8. L'altro deve diventare attivo. Deve imparare a collaborare con l'energia del concentrato di fiori. A questo scopo egli deve poter disporre, con il vostro aiuto, di tutte le informazioni che desidera sul principio dei fiori, sulla sua differenza dai comuni medicamenti, così come sui meccanismi psicologici e sui problemi filosofici.

9. È sempre lo sviluppo dell'aspetto positivo dell'attuale stato d'animo negativo che rende possibile la realizzazione dell'Io Superiore. Quindi, nel colloquio, non ci si deve attenere troppo ai sintomi negativi, ma far scaturire insieme le qualità positive o virtù. L'altro non deve, ad esempio, avere quest'impressione: «Io sono molto impaziente, quindi ho bi-

sogno di Impatiens», bensì: «Impatiens mi aiuterà a usare razional-
mente per me e per il mio prossimo la mia superiorità».

10. Infine, voi come medici e i vostri pazienti dovete essere convinti
che il successo di una terapia non è, in fin dei conti, nelle mani dell'uomo.

Il colloquio diagnostico

Nel caso in cui l'altro non inizi spontaneamente a parlare dei suoi
problemi, si deve cercar di chiarire prudentemente i seguenti punti.

Qual è il suo atteggiamento verso la vita? Qual è il suo atteggiamento verso se stesso? Che «gioco da adulto»[1] gioca? Il suo modo di
parlare e la scelta delle espressioni forniscono sempre importanti indizi
per l'individuazione del fiore adatto. Parla in fretta, piano, esitando?
Parla con convinzione (Vervain) o con autorità (Vine)? Racconta con
voce sommessa, timorosa (Mimulus)? Dice: «Ho perso la speranza
di...» (Gorse) o «Mi mette in agitazione il fatto che...» (Impatiens)?

Osservate inoltre che cosa ci dicono la storia della sua vita, la sua
situazione familiare. Che cosa non è riuscito a superare, fisicamente e
spiritualmente: ad esempio tensioni nella casa paterna, delusioni
d'amore, consumo di droghe? A che cosa si appiglia?

Gli è successo qualcosa che lo ha spaventato, ad esempio un cambiamento di attività, una separazione, il trasferimento in un'altra città?

Si possono anche porre delle domande alternative su un unico tema. Ad esempio: «Che cosa vi infastidisce tuttora in vostro padre o in
vostra madre?». O: «Come vi sentite quando dovete lavorare in un gruppo? Ansioso? (Mimulus). Preferite lavorare da solo? (Water Violet). Gli
altri vi sembrano per lo più troppo lenti? (Impatiens). Cercate di assumere il controllo del gruppo? (Vine). Vi ritrovate sempre alla fine come
uno sciocco all'ultimo posto? (Centaury). O utilizzate i vostri partner
come interlocutori graditi? (Heather).

Naturalmente, anche il linguaggio corporeo rivela molto della disposizione spirituale di un uomo. Com'è il suo atteggiamento, chiuso,
disteso? Si agita sulla sedia? Com'è il suo sguardo? La sua risposta è
spontanea o forzata? Ha rughe? In che punto l'energia è chiaramente
bloccata o sprecata?

Nelle malattie croniche, la guarigione può avere inizio con sor-
prendente velocità, quando si riesce a scoprire insieme qual è la sensazione sgradita che l'altro cerca di evitare attraverso la malattia. In un
caso di reumatismi cronici si è avuto, ad esempio, il seguente risultato:
una donna provava una forte aggressività nei confronti degli uomini

---

[1] E. Berne, *A che gioco giochiamo?*, Bompiani, Milano 1967.

del suo ambiente immediato, che però non voleva mostrare. Inconsciamente ha quindi orientato questi impulsi aggressivi contro se stessa e ha sviluppato una malattia che le provocava dei dolori.

Quando si arriva a una diagnosi, vengono spesso in mente sette od otto fiori, in quanto entrano in gioco livelli diversi della personalità. Ci si deve allora chiedere: «Di che fiori ha bisogno in questo momento?». Non occorrono sempre molti fiori contemporaneamente. Spesso uno o due concentrati ben scelti hanno l'azione più efficace.

C. TECNICHE DIAGNOSTICHE SENSITIVE

Alcune persone hanno la capacità di determinare i giusti fiori con l'aiuto di tecniche sensitive, che operano a livello di intuizioni fisiche.

Premesso che bisogna saper controllare efficacemente queste tecniche – il che non sempre avviene – questa dote può costituire una capacità diagnostica integrativa molto efficace per il principiante. Ma, come sottolinea anche il Centro Bach britannico, non debbono mai venire usate in sostituzione della classica diagnosi attraverso il colloquio.

In quali casi possono dimostrarsi utili le tecniche sensitive, come, ad esempio, il pendolo?

Quando il paziente non può essere presente di persona.

Quando il trattamento è a un punto morto. Con le tecniche sensitive si possono spesso afferrare stati d'animo presenti a un livello molto profondo, non immediatamente riconoscibili nel colloquio.

Per una convalida del colloquio diagnostico. Si può, ad esempio, chiarire se siano stati trovati tutti i rimedi necessari.

Per determinare il dosaggio individuale: numero di gocce, arco di assunzione, altre possibilità di applicazione.

A fronte di questi vantaggi, vi sono, in particolare per il medico stesso, i seguenti svantaggi:

Le condizioni e la sensibilità del medico sono oscillanti. E questo è un fattore d'insicurezza.

Si introduce, nei confronti dell'altro, nella misura in cui questi non abbia fiducia in tali tecniche, un inopportuno fattore d'insicurezza e un ulteriore elemento di autoritarismo.

Se si fa affidamento solo sulla «propria tecnica», non si sfruttano tutte le capacità di cui si dispone per aiutare efficacemente gli altri.

L'energia psichica mobilitata è minore. L'intuizione non è stimolata a svilupparsi. Lo stesso processo decisionale ristagna.

È stato anche dimostrato dall'esperienza che una completa dimestichezza con i fiori prima o poi rende superflua ogni tecnica diagnostica sensitiva. L'Io Superiore, l'intuizione, fornisce immediatamente le risposte, per cui tale tecnica può tutt'al più costituire un'integrazione.

Dopo queste poche osservazioni preliminari, riportiamo qui, a titolo di esempio, alcune esperienze con tecniche sensitive, a convalida del colloquio diagnostico classico.

Un medico inglese riferisce quanto segue: «Tengo la mano sinistra del paziente nella mia destra. Poco dopo, prendo con la sinistra, l'una dopo l'altra, 38 bottiglie, naturalmente senza vederne l'etichetta. Con alcune di esse avverto nella regione cervicale un pizzicore che, se è forte, percorre come un brivido l'intero corpo. Sono questi i fiori di cui il paziente ha bisogno. Altri sensitivi provano una sensazione di singulto o una piccola scarica elettrica».

Una terapeuta che opera col sistema respiratorio determina per se stessa le essenze appropriate, appoggiando le bottiglie sul plesso solare e registrando le variazioni respiratorie. La respirazione diventa più intensa in presenza del fiore di cui ha bisogno.

In tutti gli esempi riportati si deve tener presente che si possono ottenere informazioni solo sui fiori di cui si ha bisogno in quel dato momento. Se occorre un'assunzione a lungo termine, è preferibile una decisione ponderata.

IV

I 38 FIORI DI BACH

SINTOMI CHIAVE	RIMEDI
Inquietudine interiore; svalutazione dei propri problemi; si evita il confronto	1. **Agrimony**
Angosce inspiegabili; presentimenti negativi; timori infondati	2. **Aspen**
Eccessivo senso critico; intolleranza	3. **Beech**
Eccessiva disponibilità; debolezza di volontà . .	4. **Centaury**
Sfiducia in se stessi; insicurezza	5. **Cerato**
Paura di perdere il controllo	6. **Cherry Plum**
Tendenza a ripetere gli stessi errori	7. **Chestnut Bud**
Personalità possessiva, invadente; tendenza a manipolare gli altri	8. **Chicory**
Sogni a occhi aperti; disinteresse per il presente	9. **Clematis**
Sensazione di sporcizia interiore; vergogna di sé	10. **Crab Apple**
Inadeguatezza rispetto ai propri compiti	11. **Elm**
Scetticismo; pessimismo; scoraggiamento	12. **Gentian**
Disperazione totale	13. **Gorse**
Egocentrismo; paura della solitudine	14. **Heather**
Gelosia; diffidenza; invidia	15. **Holly**
Rimpianto; difficoltà ad affrontare le novità . . .	16. **Honeysuckle**
Stanchezza; spossatezza mentale	17. **Hornbeam**
Impazienza; irritabilità; tensione	18. **Impatiens**
Sfiducia in se stessi; senso di inferiorità	19. **Larch**
Paure specifiche; timidezza	20. **Mimulus**
Malinconia improvvisa e ingiustificata	21. **Mustard**
Accanimento; eccessivo senso del dovere	22. **Oak**
Estrema stanchezza; esaurimento	23. **Olive**
Sensi di colpa; eccessiva autocritica	24. **Pine**
Preoccupazioni e paure esagerate per gli altri . .	25. **Red Chestnut**
Panico; angosce particolarmente acute	26. **Rock Rose**
Severità; eccessiva durezza con se stessi	27. **Rock Water**
Indecisione; volubilità; insoddisfazione	28. **Scleranthus**
Postumi di shock fisici e mentali; afflizione	29. **Star of Bethlehem**
Disperazione profonda; senso di vuoto	30. **Sweet Chestnut**
Zelo eccessivo; irritabilità	31. **Vervain**
Ambizione; sete di potere	32. **Vine**
Insicurezza; incostanza, influenzabilità	33. **Walnut**
Riservatezza eccessiva; difficoltà a comunicare con gli altri	34. **Water Violet**
Fuga di pensieri; tormento interiore	35. **White Chestnut**
Incertezza; ansia; insoddisfazione	36. **Wild Oat**
Apatia; rassegnazione	37. **Wild Rose**
Amarezza; vittimismo; permalosità	38. **Willow**

GENERALITÀ

Nelle descrizioni dei 38 fiori di Bach sono state riunite le esperienze finora ottenute dai più diversi punti di vista. Si deve comunque sottolineare che, in casi come questi, non può trattarsi di informazioni definitive, in quanto la scoperta delle multiformi attività di questo mirabile sistema è appena iniziata. Nei prossimi anni, quanto maggiore sarà il numero delle persone sensibili che lavoreranno, ciascuna a proprio modo, con i fiori di Bach, tanto maggiore sarà il numero di finissime sfaccettature della loro forza guaritrice sull'anima e sullo spirito dell'uomo che verranno in luce.

Prima di passare all'esame dei singoli fiori, una premessa:

■ I *dati botanici* sono stati ricavati in forma abbreviata dal libro *The Bach-Flower-Remedies*, di Nora Weeks e Victor Bullen, due collaboratori di Edward Bach.

■ Con il termine *principio* si cerca qui d'indicare il concetto spirituale di base dei fiori con riferimento alle alterazioni nel processo di sviluppo spirituale dell'uomo. Seguono poi le esperienze di alcuni medici col fiore in questione.

■ I *sintomi chiave* sono quelli caratteristici nello stato di energia bloccato, cioè in quello stato in cui occorre l'energia dei fiori. Essi rendono possibile una prima diagnosi.

■ L'elenco dei *sintomi nello stato bloccato* aiuta a corroborare la diagnosi. Vengono qui interpretate le annotazioni ricavate dalle osservazioni di diversi specialisti e dalla letteratura disponibile. Si sono voluti riportare numerosi sintomi, a volte anche opposti, per offrire un ampio spettro di possibilità individuali di approccio e punti di partenza diversi.

A qualcuno taluni sintomi appaiono connotati negativamente. E, stando all'esperienza, nella pratica professionale vengono prevalentemente considerati tali da chi ha una scarsa autocoscienza. Ma quanto più coscientemente l'uomo si pone di fronte al proprio processo evolutivo, tanto più sottili si fanno i livelli ai quali possono giocare gli stati descritti e tanto meno diventano riconoscibili con evidenza per chi sia al di fuori. È quindi importante non prendere sempre alla lettera i sintomi addotti, ma considerarli come tendenze. Quel che conta soprattutto è di avvertire e riconoscere il principio operante dietro a essi, che si manifesta sempre diversamente in ogni individuo e in ogni combinazione di concentrati di fiori.

Per completezza, precisiamo che, ovviamente, non è detto che si debbano presentare tutti i sintomi riportati quando si ha bisogno di un determinato fiore. Una volta individuato correttamente il principio, bastano spesso da uno a tre sintomi conclamati per giustificare una scelta.

■ *Potenziale nello stato trasformato* sta a significare la parte più importante del quadro del fiore. Esso descrive il concetto spirituale, il potenziale di energia o la virtù che l'uomo ha a disposizione fin dal suo concepimento e che originariamente voleva realizzare. Attraverso il lavoro cosciente con i fiori di Bach questo potenziale energetico può essere portato dallo stato bloccato negativo a quello armonico positivo, trasformato e reso operante. È questo l'obiettivo principale della terapia di Bach.

■ I *consigli* e i *suggerimenti* riportati alla conclusione di ogni descrizione si sono dimostrati utili nella pratica di alcuni specialisti, ma costituiscono solamente ulteriori elementi di riflessione.

1. AGRIMONY
Agrimonia
Agrimonia eupatoria

Alta da 30 a 60 cm, cresce prevalentemente nei campi, sulle scarpate e nei maggesi. Fiorisce fra giugno e agosto, con piccoli fiori gialli disposti su una lunga spiga conica. Ogni singolo fiore dura solo tre giorni.

Principio: Agrimony è collegato al potenziale spirituale della capacità di confronto e della gioia. Nello stato Agrimony negativo si cerca di non prendere atto del lato oscuro della vita e non si riescono a integrare adeguatamente le esperienze nella personalità.

Se si telefona a qualcuno che ha appena perso un processo importante e gli si chiede come vanno le cose, in genere ci si aspetta un certo abbattimento. L'individuo caratterizzato da Agrimony, invece, risponde meccanicamente: «Benissimo, grazie», e lo si deve conoscere intimamente per avvertire dietro questa risposta il suo disappunto. La persona segnata da Agrimony presenta per principio all'ambiente che la circonda un viso noncurante, amabilmente sereno. Ecco perché nella pratica non è facile riconoscere lo stato Agrimony negativo. Chi ha bisogno di Agrimony è roso dentro di sé da ansie e timori; spesso si tratta di preoccupazioni materiali, malattie, perdite di denaro, difficoltà sul lavoro. Ma si farebbe strappare la lingua piuttosto di parlarne con qualcuno, perché «Quel che ho dentro riguarda solo me stesso». Un uomo caratterizzato da Agrimony si mantiene sempre imperturbabile e, come un attore, sulla scena fa buon viso al cattivo gioco che si svolge dietro le quinte.

I caratteri Agrimony sono, per loro natura, assai bisognosi di armonia e, al tempo stesso, molto sensibili. I litigi e le disarmonie di chi sta loro vicino li fanno soffrire al punto che, per amor di pace, si tirano indietro e spesso addirittura si sacrificano. Con i loro simili sono gentilissimi, nella speranza che anch'essi si dimostrino tali nei loro confronti. Per l'atmosfera allegra che creano attorno sé sono assai apprezzati da amici e da colleghi, al caffè o al circolo sportivo. Sono loro che danno il tono a ogni riunione. Riescono a farsi apprezzare anche quando sono malati, perché sorvolano sulle proprie sofferenze e rallegrano con i loro scherzi perfino il personale sanitario.

Quando però un tipo Agrimony viene a trovarsi solo e tranquillo, i problemi che generalmente rimuove gli s'insinuano nella coscienza. Ma, poiché per principio rifugge dal prenderne atto, specialmente se si riferiscono alla sua persona, fa di tutto per non trovarsi mai solo. Si getta a capofitto in ogni genere di attività, imprese e compagnie, dalla discoteca alla società di beneficenza. Molte persone di carattere Agrimony affogano le preoccupazioni in un bicchiere di vino o cercano di dominare euforicamente, con psicofarmaci o droghe ancor peggiori, le sensazioni sgradevoli che li invadono. Lo stato Agrimony negativo è simile all'euforia indotta dall'alcol: si è rilassati esternamente, ma tesi interiormente.

Per la loro alta ricettività e la facilità a distrarsi, i caratteri Agrimony sono raramente perseveranti. Una donna in stato Agrimony negativo, ad esempio, cerca di rispettare il suo programma di dieta, ma poi, trascinata da un'intima irrequietudine, continua ad alzarsi di notte per andare furtivamente al frigorifero; e ciò le accade soprattutto quando è afflitta da nuove preoccupazioni. Nello stato Agrimony si ha la tendenza a tormentarsi per i piccoli inconvenienti di tutti i giorni: la telefonata passata di mente, la lettera non spedita, gli «insuccessi» sessuali. Molti caratteri Agrimony hanno piccoli vizi segreti.

Secondo gli esperti, una delle ragioni dello sviluppo di un carattere

Agrimony sta nel fatto di provenire da una famiglia molto orientata alla vita mondana, che educa i figli, fin dalla prima infanzia, al «keep smiling». Ma probabilmente è ancor più importante una predisposizione personale. I soggetti con forti tratti caratteriali Agrimony sono, rispetto agli altri, più orientati al livello esterno della personalità e non vogliono né sentire né manifestare all'esterno ciò che succede ai livelli interiori. La superficie deve apparire perfetta, anche se al di sotto regna il caos. Nello stato Agrimony si reagisce come una coppia di gemelli siamesi che si identifichi solamente con la parte gioiosa e priva di problemi della personalità. L'altra parte viene ostinatamente ignorata. Si cerca d'ingannare se stessi e gli altri, fingendo che l'altra parte non esista nemmeno. In altri termini, si ha un'alterazione dello scambio di energia tra i due livelli empirici del pensare e del sentire. Spesso tra i due livelli regna uno stato di guerra cronico.

Nello stato Agrimony negativo la personalità è oggetto di un doppio errore. Non accettando gran parte di sé, non può stabilire contatto alcuno con il suo Io Superiore e non può quindi accettare il programma predisposto per lei dalla sua anima. Al contrario, essa agisce in base a una logica molto limitata, quasi sempre di natura materiale. Ma, come tutti gli esseri umani, cerca uno stato ideale e, non potendolo trovare nel suo interno, lo cerca in stati esterni caratterizzati da un'apparente spiritualità. La condizione di ebbrezza da alcol o di euforia da droghe può sembrar corrispondente allo stato desiderato, mentre ne è in realtà molto lontana, in quanto non consente il raggiungimento di una chiarezza spirituale, ma, al contrario, uno stato di annebbiamento.

Nel momento in cui la personalità si riconosce nella sua interezza e si pone sotto la guida del suo Io Superiore, ecco che le forze stabilizzatrici dell'anima tornano a rifluirle. Essa acquisisce forza interiore e stabilità sufficiente per poter meglio affrontare le avversità della vita quotidiana. Non è più costretta a rimuovere le esperienze negative, ma le può integrare nella propria coscienza.

Nello stato Agrimony positivo si riconosce la relatività di ogni problema e si riesce a trovare dentro di sé la radiosità e la gioia che prima si cercava all'esterno. La persona è piena di autentica felicità e utilizza le proprie eccezionali caratteristiche caratteriali, quali la capacità selettiva, l'equilibrio interiore, il giudizio e l'abilità diplomatica, per la propria soddisfazione e per il bene dell'ambiente.

Nella pratica, Agrimony è uno di quei fiori che sono spesso indicati per i bambini. In genere, i bambini Agrimony sono gioiosi, socievoli, le loro lacrime asciugano in fretta. Se, come tutti i bambini, durante lo sviluppo attraversano periodi di solitudine e di tristezza, Agrimony li aiuta a comunicare meglio. Anche durante la pubertà, quando debbono affrontare   pensieri e sentimenti che sembrano contrastanti fra loro, Agrimony può essere di grande aiuto.

Nella diagnosi di persone Agrimony, è bene non andare troppo in profondità, ma cercare piuttosto il colloquio sciolto e comprensivo.

L'irrequietezza interiore dello stato Agrimony può esprimersi con manifestazioni esteriori come mangiarsi le unghie, tirarsi i capelli, un leggero tremito, pizzicarsi, o irritazioni cutanee di origine nervosa. Molti digrignano i denti durante il sonno. Agrimony si è affermata nella terapia parallela di assuefazioni, soprattutto nell'alcolismo.

Agrimony, assieme a Schleranthus, può inoltre avere un effetto stabilizzante nel caso di difficoltà di adattamento esterno, come, ad esempio, nelle persone che lavorano in turni e che quindi devono modificare spesso il ritmo del sonno, o nei dipendenti delle compagnie aeree, che debbono passare attraverso fusi orari diversi.

Sintomi chiave

Tendenza a nascondere tormento e inquietudine interiore dietro una facciata di allegria e spensieratezza.

Sintomi nello stato bloccato

■ Poiché si ama vivere in pace ed essere circondati da un'atmosfera di allegria, le situazioni spiacevoli e i litigi provocano un'oppressione spirituale.

■ Si è disposti a «fare molto pur di essere lasciati in pace».

■ Si è disposti a fare molti sacrifici per mantenere la pace interiore ed esteriore e per evitare i confronti.

■ Si nascondono sempre le proprie preoccupazioni e l'irrequietezza interiore dietro una maschera scherzosa e allegra, secondo il motto «sorridere sempre...».

■ Si attribuisce grande importanza all'impressione che si fa sugli altri.

■ Si tende a minimizzare i propri problemi e non si prende l'iniziativa di parlarne; anzi, si tende a negarli quando altri ne parlano.

■ Per sfuggire ai tormenti e alle preoccupazioni, si cercano diversivi e svaghi, ad esempio cinema, feste, insomma «attività» di ogni genere.

■ Si socializza, per dimenticare in mezzo alla gente i propri problemi.

■ Si tende a essere il buon amico, il pacificatore, il ragazzone, l'animatore di ogni festa.

■ A volte si fa uso di alcol, psicofarmaci, droghe, per dimenticare le difficoltà nel gradevole ottundimento che inducono, per calmare i tormenti.

■ Si sente il bisogno di essere sempre in azione, per non doversi mai fermare a riflettere.

■ Se ci si ammala, si minimizzano le proprie sofferenze; anzi, si intrattiene persino il personale di cura con delle barzellette.

■ Ci si adagia nella convinzione che, tanto, non si sarà mai in grado di portare a termine una promessa fatta a se stessi, come dimagrire, smettere di fumare, ecc.

■ Segreto dolore spirituale e sensazione di solitudine nell'infanzia, in bambini che in genere dimenticano facilmente il dolore.

Potenziale allo stato trasformato

■ Serenità, capacità di giudizio, oggettività.

■ Sincera gioia interiore.

■ L'ottimista fiducioso, il diplomatico abile, l'instancabile pacificatore.

■ Si riescono a integrare le preoccupazioni della vita; si dà il giusto valore ai propri problemi.

■ Si riesce a ridere delle proprie preoccupazioni, perché se ne comprende la loro insignificanza relativa.

■ Si riconosce l'unità nella molteplicità.

Consigli per lo stato Agrimony

■ Levarsi i paraocchi e guardare le cose in faccia.

■ Accettare i conflitti in maniera consapevole, eventualmente analizzarli per iscritto, risolverli sulla carta, cercare i principi che ne sono alla base.

■ Cercare di individuare e armonizzare le proprie contraddizioni interne.

■ Vivere in profondità anziché in ampiezza.

■ Abbandonare il consumo di stimolanti; vivere una vita meno consumistica e più produttiva.

■ Fare esercizi yoga, per giungere ad armonizzare le proprie energie.

☞ *Suggerimenti per frasi programmatiche positive*:

«Dove c'è la luce, deve esservi anche l'ombra. Guardo i fatti con occhio oggettivo».

«È in me stesso che trovo la pace».

«Creo dei collegamenti fra i diversi livelli della mia personalità».

2. ASPEN
Pioppo tremulo
Populus tremula

Questo albero snello, che supera raramente i 2,40 m, cresce ovunque in Inghilterra. Gli amenti maschili, penduli, e quelli femminili, compaiono in marzo o aprile, prima della fogliazione.

Principio: Aspen è collegato con i potenziali spirituali del coraggio, del superamento e della resurrezione. Nello stato Aspen negativo si è prigionieri di paure inconsce.

Vi è il detto che le persone che hanno bisogno di Aspen sono venute al mondo «con una pelle in meno». La separazione fra la loro coscienza della realtà fisica e gli altri livelli, in particolare quello emozionale e astratto, è molto sottile. Su questi livelli si trovano, oltre alle esperienze delle sensazioni personali, anche i concetti collettivi, fiabeschi e simbolici, gli archetipi, le superstizioni, le nostre rappresentazioni del paradiso e dell'inferno e molti altri. Ogni notte dobbiamo attraversare questo livello per poter accedere al livello transpersonale del nostro essere, in quanto è qui che stabiliamo il contatto con il nostro Io Superiore, dal quale durante il sonno assorbiamo le forze costituenti e curative.

I soggetti che hanno bisogno di Aspen vengono sommersi giorno e notte, senza rendersene conto e in misura assai maggiore degli altri, da pensieri e rappresentazioni concettuali fantasmatiche di questo livello astrale ed emozionale. Ne derivano pulsioni inconsce, che, allo stato di veglia, la loro coscienza non è in grado di elaborare, non conoscendone la fonte. Di qui nasce la paura, inquietante e terribile, che sale lentamente lungo la schiena, dà i brividi, fa rizzare i capelli. «Ho una paura folle, ma non so di cosa». «Ho paura che succeda qualcosa di terribile, ma non ho idea di che si tratti». Queste sono esclamazioni tipiche. Nei casi limite, si patiscono le pene dell'inferno e il corpo intero ne soffre: tremori, sudorazioni, nodo allo stomaco. Ma è un'angoscia senza rimedio, non ci si può far niente. E questa frustrazione crea tensioni ancor maggiori.

In questi momenti, i soggetti non riescono a uscire dal loro livello astrale pieno d'angoscia e non possono quindi stabilire un contatto con il loro Io Superiore, dal quale potrebbero derivare la forza necessaria. Questa prigionia dà spesso luogo a manifestazioni quali il sonnambulismo, il parlare nel sonno, o incubi. Ci si sveglia in preda al panico con la paura di riaddormentarsi.

I bambini, che sono più aperti degli adulti verso questi livelli, nello stato Aspen chiedono spesso di dormire con la porta aperta o con una piccola luce nella stanza. Essi temono inconsciamente che le loro rappresentazioni dell'«uomo nero» si concretizzino in maniera palpabile.

Molti soggetti Aspen hanno il terrore del buio, senza saperne spiegare il perché. Anche chi s'interessa di occultismo e magia in modo angoscioso e superstizioso ha spesso bisogno di Aspen, perché rischia di diventare vittima dei suoi stessi fantasmi.

La forma esterna di questa varietà di Aspen costituisce un simbolo perfetto dell'estrema sensibilità dello stato Aspen. Basta un alito di vento per creare un fruscio nel bosco. Si trema come tremano le foglie di questa pianta. Le persone Aspen reagiscono come un sismografo all'atmosfera dell'ambiente visibile e invisibile; esse possiedono un'antenna inconscia che capta conflitti incombenti e turbe psichiche negli altri. Può accadere che, in mezzo a un gruppo di gente allegra, improvvisamente esse si sentano talmente a disagio da doversi ritirare. Le persone Aspen registrano tutto e, così facendo, consumano molta energia: il clima di conflittualità nel posto di lavoro, la fretta e il disagio del mattino in un autobus strapieno, la paura dell'inflazione e la minaccia della guerra, palpabile nell'aria. Ma, al contrario dello stato Mimulus, in cui è possibile definire chiaramente le paure e discuterne con gli altri, nello stato Aspen le angosce rimangono vaghe e, di conseguenza, è difficile parlarne con altri.

Chi si cura con Aspen si rende conto che le angosce diminuiscono, che aumenta la fiducia interiore, che dietro il livello della paura esiste anche qualcosa di più grande e significativo, nel quale alla fine ci si sente avvolto e protetto. Si arriva a capire che, dietro e sopra a tutto, c'è la grande legge divina, la forza divina dell'amore, che rende ingiustificata ogni angoscia. Attraverso questa nuova fiducia, si può utilizzare consapevolmente il lato positivo dell'energia di Aspen, che è la capacità di sintonizzarsi su livelli più sottili, immateriali, di scoprirli ed esplorarli sperimentalmente, senza paura, e di utilizzare questo sapere per il bene altrui. I bravi educatori, gli psicoterapeuti, gli studiosi della psiche, ad esempio, possiedono queste qualità.

Alcuni esperti hanno consigliato Aspen per il trattamento parallelo di alcolizzati, di vittime di aggressioni, di donne violentate e di bambini che avevano subito maltrattamenti. Tali eventi possono infatti venir richiamati, attraverso un processo inconscio, dal livello astrale.

Le persone divenute molto «aperte» attraverso tecniche di meditazione di gruppo, hanno spesso bisogno di Aspen, così come molte che le droghe hanno trascinato nel vortice dell'orrore.

Sintomi chiave

Angosce vaghe e inspiegabili, presentimenti, paura segreta di disgrazie incombenti.

Sintomi nello stato bloccato

- Sensazioni infondate di paura e pericolo.
- Stati d'angoscia improvvisi, sia da soli che in compagnia.
- La fantasia va a ruota libera.
- Fascinazione angosciosa per l'occulto, superstizione.
- Mania di persecuzione, paura di punizioni; paura di una potenza o forza invisibile.
- Incubi; ci si risveglia con un senso di panico e si ha paura di riaddormentarsi.
- Paura di pensieri o sogni riguardanti temi religiosi, l'oscurità, la morte.
- «Paura della paura», ma non si ha il coraggio di parlarne con altri.
- Paure collettive, come la violenza fisica, rapine, stupri, maltrattamenti, paura di serpenti, di spiriti, ecc.

■ Nel caso di bambini, paura di restare da soli, di dormire al buio, dell'«uomo nero», ecc.

■ In taluni luoghi non si riesce a sopportare l'«atmosfera».

Potenziale nello stato trasformato

■ Capacità d'inserirsi in livelli di coscienza più sottili, perciò sensibilità per le concezioni religiose ed esoteriche.

■ Comprensione di mondi spirituali superiori. Ci si sente attirati da questi mondi e si parte senza timore alla loro esplorazione, senza badare a eventuali difficoltà.

Consigli per lo stato Aspen

■ Praticare degli hobby che contribuiscano a una buona «messa a terra»: ad esempio ceramica, cucina, giardinaggio.

■ Evitare tutto ciò che può stimolare l'immaginazione: ad esempio alcol, bagni di sole, racconti di guerra, film dell'orrore, ecc.

☞ *Suggerimenti per frasi programmatiche positive*:

«Il mio cuore è pieno di fiducia e di forza».
«Sono nelle mani di Dio».
«Mi lascio guidare verso la parte migliore di me».
Per i bambini: «Ho un angelo custode».

3. BEECH
Faggio
Fagus sylvatica

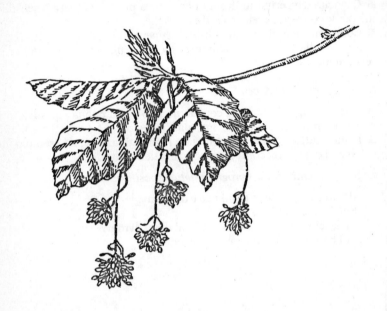

Questo albero fiero, che può raggiungere i 30 m, in Inghilterra veniva chiamato «madre della foresta». Uno stesso albero porta fiori maschili e femminili, che sbocciano in aprile o maggio, contemporaneamente alla formazione del fogliame.

Principio: Beech è collegato alle qualità spirituali della comprensione e della tolleranza. Nello stato Beech negativo, si reagisce in modo meschino, duro e intollerante.

Non facciamoci illusioni, ogni persona cade di tanto in tanto in uno stato Beech negativo. A chi non è mai successo di condannare duramente l'operato di una persona e di essersi poi reso conto di averle fatto torto, perché non conosceva le circostanze e non le aveva pertanto considerate?

Nello stato Beech negativo si tende ad essere molto critici nei giudizi, secondo un metro negativo e spesso ristretto. Il prossimo è considerato e giudicato secondo criteri molto rigidi, senza tentare d'immedesimarsi nella sua situazione e nei suoi sentimenti.

«Non si può trattare con una persona che ha un accento simile!», oppure, «Se sento ancora la parola 'ecologisti' impazzisco». Si coltivano pregiudizi e si storce il naso. Non vi è forse individuo più arrogante di un Beech negativo.

Il sofisticato professor Higgins di *Pigmalione*, che per scommessa vorrebbe trasformare Eliza, semplice fioraia, in un prodigio linguistico, è una variante scherzosa dello stato Beech negativo. Privo di esperienza e comprensione per i sentimenti di una donna, chiede sconsideratamente all'amico Pickering: «*Why can a woman not be like a man?*». Avendo rimosso i propri sentimenti, non può avere alcuna comprensione per Eliza e riesce solo a ferirla con la sua ironia.

Un altro aspetto caricaturale dello stato Beech negativo è rappresentato dall'insegnante severa e pignola, che, vestita di grigio e con portamento altezzoso, esige ordine, disciplina e precisione assoluti, senza rendersi conto che ogni singola persona è nata con specifiche qualità e in uno specifico ambiente, che la rendono diversa da ogni altra.

La persona in stato Beech negativo vede la pagliuzza nell'occhio degli altri e non la trave nel proprio. Essa si proietta all'esterno e non sa guardare alla propria interiorità né assimilare ciò che apprende. Questo atteggiamento dà luogo a volte a disturbi gastrointestinali. Lo stato Beech negativo è presente spesso in persone le cui famiglie appartengono a gruppi minoritari e che sono state oggetto d'odio, umiliazioni, delusioni, ferite all'amor proprio. A compensazione interiore, queste famiglie si sono chiuse in sé, costruendosi sistemi propri di valori, che consentono loro di ritenersi superiori agli altri. Di conseguenza il disprezzo e le umiliazioni feriscono meno, in quanto riescono a riproiettarli sugli altri, sotto forma di critica e di arroganza. Per essere meno esposte alle ferite alla propria sensibilità, queste persone rimuovono quanto più possibile i propri sentimenti e, con ciò, anche la facoltà d'immedesimarsi in quelli altrui.

Dove sta l'errore? Nello stato Beech negativo, la personalità ha frainteso gli insegnamenti dell'anima, non li ha accettati e ha posto un blocco alle esperienze negative. Per riprendere l'esempio precedente, non ha accettato il proprio ruolo di outsider e non ha elaborato le spiacevoli esperienze della discriminazione. La persona ha invece sviluppato un proprio codice comportamentale, in cui ha introdotto una serie di meccanismi di difesa, per respingere la voce del suo Io Superiore. Nel nostro esempio, sviluppa un atteggiamento critico e arrogante, che le permette di proiettare sul mondo circostante il proprio senso di umiliazione. Queste proiezioni negative non provocano danno solo alla personalità stessa, ma anche all'unità superiore. I pensieri negativi irritano l'ambiente, retroagiscono sulla personalità e possono dar luogo a una serie di manifestazioni irritative organiche. La personalità diventa sempre più rigida e dura, in quanto non è più in grado di scambiare energie né col suo Io Superiore né con l'ambiente.

Nel momento in cui la personalità riesce a superare il proprio metro limitato di valori e si apre verso l'Io Superiore, ecco che le si manifestano più ampie scale di giudizio e maggiori possibilità di conoscenza in generale e di autoconoscenza in particolare. Il suo criticismo ristretto si trasforma in comprensione, la sua reattività nei confronti degli altri in sensibilità verso il proprio Io Superiore. L'arroganza diventa sincero amore e tolleranza; quella tolleranza, che, come scriveva Bach, fece sì che Cristo in croce pregasse per i suoi carnefici: «Padre, perdona loro, perché non sanno quello che fanno».

Per chi tende allo stato Beech negativo, vi sono alcune conoscenze fondamentali da tener sempre presenti. Fra queste, la certezza che è possibile sopravvivere, come una piccola rotella di un più ampio meccanismo o come cellula di un essere superiore, solo se si è in sintonia con il flusso o la coscienza di quest'ultimo. Non quando se ne è distaccati. Ci si deve anche rendere conto che, in quanto piccola cellula, non si possono che intravedere le grandi leggi dell'essere superiore. È dunque errato crearsi scale di giudizio generalizzate.

Infine, dobbiamo renderci conto che altro non siamo che riflessi di proiezioni reciproche. Non dobbiamo quindi proiettare i nostri sentimenti negativi e i nostri meccanismi di difesa su altre persone. Al contrario, dobbiamo cercar di ritrovare in noi stessi le proiezioni positive degli altri. Così, in luogo dell'isolamento si genera una sensazione di unità, di affinità spirituale e di armonia, che è, in fin dei conti, quanto cercano anche le persone Beech negative, nonostante le loro tendenze critiche. Quando s'individua in se stessi questa sensazione di unità, improvvisamente anche il mondo esterno ci appare più armonico. Le piccolezze non ci irritano più, in quanto riusciamo sempre a individuare l'unità nella molteplicità.

Il fiore del Beech aiuta a ristabilire questo contatto con l'io e con l'unità. Esso allenta la severità interiore e riporta, secondo l'espressione dei sensitivi, gioia, allegria e colore nel sistema di energia. Nello stato Beech positivo, la persona diventa una sorta di «diagnosta tollerante»: essa è in grado di sfruttare lucidamente, per se stessa e per gli altri, la propria lucidità di visione e capacità di giudizio.

Le diverse manifestazioni dell'autoritarismo in Vine, in Beech e in Rock Water:

Vine: La sua azione è di natura interiore, costringere. Il concetto spirituale negativo di base è la tendenza a dominare.

Beech: Respinge interiormente, giudica, vuole avere ragione. Il concetto spirituale negativo di base è l'intolleranza.

Rock Water: Si tiene al di fuori, sta chiuso in sé. Il concetto negativo di base è l'amor proprio.

Sintomi chiave

Eccessivo senso critico, arroganza, intolleranza. Si giudica il prossimo senza alcuna capacità di immedesimazione.

Sintomi nello stato bloccato

■ Si vedono immediatamente gli errori altrui.

■ Non si è in grado d'immedesimarsi emotivamente negli altri, in quanto i propri sentimenti sono bloccati.

■ Si giudicano gli altri dentro di sé, si vedono le loro mancanze e si dà un giudizio di condanna.

■ Si vedono esclusivamente i lati criticabili e le debolezze di una situazione o di un individuo, senza essere in grado di percepire quanto di positivo potrebbe discenderne.

■ Ci si sente infastiditi dall'ignoranza altrui.

■ A volte si reagisce in maniera meschina, pignola, irremovibile.

■ Si prova irritazione per i piccoli gesti e il modo di parlare degli altri; il grado di fastidio è sproporzionato alla causa.

■ Si è interiormente tesi, induriti.

■ Ci si isola dagli altri attraverso questo atteggiamento ipercritico.

Potenziale nello stato trasformato

■ Lucidità spirituale; comprensione per i diversi modelli comportamentali dell'uomo e per le vie individuali di sviluppo.

■ Buone capacità diagnostiche.

■ Atteggiamento tollerante; si percepisce l'unità nella molteplicità.

Consigli per lo stato Beech

■ Essere più gentili e tolleranti verso se stessi, per esserlo verso gli altri.

■ Esercizi yoga, per stimolare la tiroide e il cuore.

■ Cercare un compenso fisico alla rigidità interiore: gioco, ballo, ecc.

☞ *Suggerimenti per frasi programmatiche positive*:

«Faccio pace con me stesso e con gli altri».
«Io sono negli altri, gli altri sono in me».
«Avverto in tutto il processo positivo di crescita».
«So di non saper niente».

4. CENTAURY
Centaurea minore o **Cacciafebbre**
Centaurium erythraea

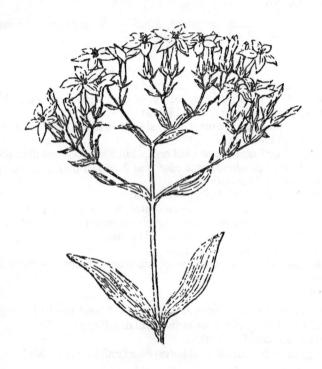

Cresce molto eretta fino a un'altezza da 5 a 35 cm in campi asciutti,
ai margini delle strade e in zone disboscate. I piccoli fiori rosa eretti sono
riuniti a ombrello in cima allo stelo. Fioriscono fra giugno e agosto e si
aprono solo col bel tempo.

Principio: Centaury è collegato alle qualità spirituali dell'autode-
terminazione e dell'autorealizzazione. Nello stato Centaury negativo, il rapporto con la propria volontà è alterato.

I bambini con forti tratti Centaury sono spesso semplici, spontanei
e docili. Sentono molto gli elogi e i rimproveri. Non creano particolari
problemi ai genitori e gli altri tendono ad approfittarsi di loro, soprat-

tutto i compagni di scuola. Da adulti, cadono facilmente sotto l'influenza di personalità più forti, che ne sfruttano l'innata disponibilità a scopi egoistici. La figlia maggiore che non si sposa per accudire alla madre malata è un tipico esempio di Centaury. Così pure il figlio che avrebbe preferito studiare, ma si lascia convincere a portare avanti l'impresa paterna, perché così vuole il genitore. Chi non ricorda la domestica Centaury dei nonni pallida e instancabile, che ha rinunciato alla propria vita per servire i padroni, o il vecchio factotum dell'azienda che, nelle parole, nei pensieri e nei gesti, s'immedesima col proprietario? E bisognerebbe anche consigliare Centaury alla giovane moglie che legge ogni desiderio nel viziato marito-figlio, sottomessa come una schiava.

La persona Centaury dice rassegnata: «Non so respingere nessuna preghiera», oppure «Non so dire di no». Spesso gli estranei assistono esterrefatti a scene di vera e propria autodegradazione spirituale di queste persone.

Le persone nello stato Centaury si lamentano spesso di stanchezza e surmenage, perché continuano a spingere la propria disponibilità oltre i loro limiti di resistenza fisica. Ma è bensì vero che non soffrono più di tanto per la loro condizione, in quanto non la vedono nella giusta luce e non si rendono nemmeno conto che, a furia di servire il prossimo, mancano nei confronti della propria vita. La ragione della loro disponibilità è, in fondo, un'esigenza di riconoscimento e di conferma.

Nello stato Centaury negativo, le splendide virtù del bisogno di aiutare il prossimo, di dedicarsi a un compito, sono distorte negativamente. Il nocciolo di questo malinteso è che ci si sottomette acriticamente a un'altra persona e alle sue debolezze umane, anziché porsi al servizio di principi superiori, attraverso la propria anima. Ma, per potersi porre al servizio di questi principi superiori, è anzitutto necessario sviluppare la propria individualità e personalità, per farne uno strumento dell'anima. Non si dimentichi inoltre che la personalità viene formata, strutturata e conservata attraverso la volontà. Ciò che negli altri stati spirituali negativi è troppo forte, cioè il bisogno di asserire la propria personalità, nello stato Centaury negativo è troppo debole.

Alcuni studiosi affermano che lo stato Centaury è il più sensibile dei 38 stati spirituali. I soggetti in cui emergono capacità psicomedianiche, slittano spesso, in un primo momento, verso uno stato Centaury negativo. Si crea così uno squilibrio, in quanto le qualità psichiche vengono a essere temporaneamente più sviluppate della volontà. In questo stato, il soggetto è estremamente sensitivo e avverte ogni energia disarmonica. È facilmente disorientabile, un niente lo turba e lo ferisce. Spesso si ammala senza ragione apparente e non sa che ciò è dovuto al suo stato interiore.

Nello stato Centaury negativo – soprattutto se unito a quello Walnut negativo – è facile diventar vittima di forti influenze spirituali, si è attirati dal risucchio di «maestri» cosiddetti illuminati. Nei casi limite, le persone si sottomettono, prive di volontà propria, alle leggi e ai rituali di gruppi, correndo il rischio di perdere i resti della propria personalità e di sprecare con ciò ogni possibilità di sviluppo personale.

L'energia Centaury serve a ristabilire il contatto perso con la propria volontà e a riorganizzare i propri potenziali nella personalità. Dopo una prima assunzione di Centaury, un sensitivo ha descritto una potente sensazione che allinea la parte destra e quella sinistra del corpo e che si concentra soprattutto nel plesso solare e nel Chakra della tiroide.

Nello stato Centaury positivo, la persona può utilizzare al meglio le sue grandi qualità di dedizione, mettendosi al servizio di una giusta causa, secondo le proprie leggi; ma ne percepisce anche i momenti distruttivi, nei quali deve dire di no. Può integrarsi benissimo nei gruppi, partecipare pienamente, senza con ciò rinunciare alla propria personalità. Così facendo, può, temporaneamente e coscientemente, rendersi strumento del flusso di forze divine, al fine di realizzare compiti superiori.

I pazienti nello stato Centaury negativo debbono rendersi conto, attraverso il dialogo, che non sempre aiutano realmente gli altri soddisfacendone acriticamente ogni desiderio, ma che, al contrario, rallentano il processo di apprendimento di entrambi.

Un quesito interessante è se, ed eventualmente fino a che punto, lo stato Centaury negativo non sia anche una «fuga nell'alterità», per sottrarsi alla propria evoluzione in adulto, che comporta, tra l'altro, l'imparare a distinguere e a decidere.

Se la malattia ha indebolito la volontà di far qualcosa per se stessi, Centaury dà nuova vitalità allo spirito e al corpo.

Distinzione del tipo di influenzabilità nello stato Clematis, Centaury, Cerato e Walnut:

Clematis:	Influenzabilità dovuta a mancanza d'interesse per le presenti circostanze e ai pensieri sempre rivolti altrove.
Centaury:	Influenzabilità dovuta a un atteggiamento troppo ricettivo e a uno scarso sviluppo della volontà.
Cerato:	Influenzabilità dovuta a insicurezza della propria capacità di giudizio. L'intuizione non viene in aiuto.
Walnut:	Influenzabilità che si manifesta nelle fasi di cambiamento, per un atteggiamento spirituale non sufficientemente consolidato.

Sintomi chiave

Volontà debole, eccessiva disponibilità ai desideri altrui, si lascia che gli altri approfittino di noi, non si sa dire di no.

Sintomi nello stato bloccato

■ Difficoltà d'imporsi.

■ Passivo, di volontà debole, orientato al prossimo.

■ Volonteroso, arrendevole, servizievole fino alla sottomissione.

■ Si tende a reagire ai desideri altrui anziché ai propri.

■ Si avverte immediatamente quello che gli altri si aspettano e non si può fare a meno di accontentarli.

■ Ci si lascia fuorviare dal desiderio di piacere agli altri, nei casi limite fino al sacrificio di sé.

■ Più schiavo che aiutante consapevole.

■ Si è al servizio di un'altra volontà egoistica: genitore, coniuge, superiore, ecc.

■ Ci si lascia facilmente convincere a fare cose che in realtà non si vorrebbero fare.

■ Gli altri si approfittano di questa disponibilità.

■ Si arriva a situazioni di autodegradazione.

■ Scarsa stima di sé, si lascia che siano gli altri a dirci che cosa dobbiamo fare.

■ Si tende inconsciamente ad assimilare i gesti, i modi di dire, il modo di pensare di una personalità più forte.

■ Leggermente pallido, stanco, esaurito.

■ Non si difendono i propri interessi.

■ Spesso si dà troppo rispetto alle proprie possibilità.

■ Si corre il rischio di dimenticare il compito della propria vita.

■ I bambini sono molto sensibili agli elogi e ai rimproveri.

Potenziale nello stato trasformato

■ Si dice di sì con piena coscienza, e si sa anche dire di no.

■ Ci si sa integrare bene nei gruppi, mantenendo sempre la propria identità.

■ Si è sempre, e saggiamente, al servizio della propria meta.

■ Si è in grado di consacrare la propria vita a quello che è il proprio vero compito.

Consigli per lo stato Centaury

■ Chiedersi, prima di ogni decisione, che cosa si vuole realmente.

■ Chiedersi, a ogni richiesta altrui, quali sono i suoi veri motivi.

■ Proteggere spiritualmente il plesso solare, ad esempio immaginando di avere esattamente sopra di esso una cintura di luce bianca, la cui fibbia sia composta di un cerchio con una croce.

☞ *Suggerimenti per frasi programmatiche positive*:

«Solo io sono responsabile del mio sviluppo».
«È solo dentro di me che posso trovare la mia meta».
«Sono in grado di distinguere in maniera sempre più chiara e nitida».
«Mantengo la mia personalità e parteggio per me».

5. CERATO
Cerato
Ceratostigma willmottiana

Questo fiore di circa 60 cm di altezza, originario dell'Himalaya, non cresce allo stato selvatico, ma viene coltivato nei giardini inglesi. I fiori tubiformi, lunghi circa 1 cm, vengono raccolti in agosto e settembre.

Principio: Cerato è collegato al principio della certezza interiore, alla «voce interiore», all'intuizione. Nello stato Cerato negativo, alcune di queste percezioni vengono accettate con difficoltà, per lo più senza rendersene conto.

Il processo decisionale viene stimolato. A livello intuitivo la risposta c'è, ma la ragione non l'accetta, appesantendola con una serie di argomentazioni tradizionali e di schemi comportamentali preacquisiti.

Ciò che l'intuizione sa esser giusto non è trasponibile senza incertezze nella prassi. Si forma un contrasto interiore inconscio, che porta a un'insicurezza circa le proprie decisioni, alla sfiducia nella propria intuizione.

Il malinteso in Cerato sta nel rifiuto della personalità di riconoscere e accettare il ruolo dell'Io Superiore. Anziché ammettere che solo quest'ultimo può portarci alla migliore espressione di noi stessi, si tende a cercare la risposta nel mondo esterno, spesso in teorie e dottrine correnti, in esperienze di persone completamente diverse da noi.

Le persone che hanno bisogno di Cerato assillano il prossimo con i loro problemi, piccoli o grandi che siano. «Che cosa faresti al mio posto? In fondo lo so benissimo, ma in un certo senso non mi fido. Non può essere così semplice...» sono tipiche frasi Cerato.

Molti soggetti nello stato Cerato non si rendono affatto conto di sapere molto e continuano a raccogliere informazioni, ma accumulandole, per così dire, su un libretto di risparmio, senza farle fruttare. Il loro è un sapere sterile, mentre è solo dall'esperienza viva e feconda che nascono la sicurezza e la fiducia nella propria capacità di decisione.

Le persone che periodicamente seguono le diete di moda, senza alcun criterio, si trovano in uno stato Cerato negativo. «Non ho mai digerito le cipolle, ma se il professor X le raccomanda, è segno che fanno bene...». I pazienti Cerato nuociono dunque a se stessi e fanno la figura degli sciocchi di fronte agli altri.

Chi assume il Cerato avverte con maggior chiarezza la propria voce interiore e più si fida di questa, più questa si fa chiara. Il soggetto si rende conto con gioia di avere improvvisamente a disposizione tutto il sapere che gli occorre in un dato momento e di poterlo utilizzare per immediate decisioni, diagnosi, interpretazioni, correlazioni. Accade di frequente che si avverta un forte bisogno di condividere con gli altri questo sapere.

Il lato positivo dell'energia Cerato è un atteggiamento di tranquilla certezza, che nessuna argomentazione contraria riesce a scuotere.

Molte testimonianze dimostrano che Cerato stimola l'attività onirica e che ci si ricorda meglio dei sogni fatti.

Lo stato Cerato si manifesta spesso combinato allo stato Scleranthus e allo stato Centaury.

Le cause dello stato Cerato sono spesso radicate negli anni scolastici, quando il nozionismo esasperato soffoca in molte persone lo sviluppo delle facoltà intuitive.

Sintomi chiave

Sfiducia nella propria intuizione.

Sintomi nello stato bloccato

■ Sfiducia nella propria capacità di giudizio.
■ Si chiede continuamente consiglio agli altri.
■ Si parla molto; si assilla il prossimo con domande futili.
■ Si attribuisce eccessiva importanza all'opinione altrui.
■ Si ha una fame smodata di informazioni.
■ Si accumulano le proprie conoscenze senza utilizzarle.
■ Ci si lascia disorientare dalle decisioni altrui.
■ Ci si lascia influenzare a proprio danno.
■ Dopo aver preso una decisione, si è presi da dubbi.
■ Si cerca l'affermazione attraverso l'autorità.
■ Agli occhi degli altri si fa la figura degli ingenui, degli sciocchi, perfino degli stupidi.
■ Si amano le convenzioni, tutto ciò che è «alla moda».
■ Si tende a imitare i comportamenti altrui.
■ A scuola, i bambini continuano a correggere quello che hanno scritto, anche se è giusto.

Potenziale nello stato trasformato

■ Intuitivo, capace di entusiasmi, curioso, avido di sapere. Capacità di raccogliere, elaborare e applicare le informazioni.
■ Si trasmette il proprio sapere con gioia.
■ Buona coordinazione fra il pensiero astratto e concreto.
■ Ci si lascia guidare dalla propria voce interiore, si ha fiducia in se stessi e si ha il coraggio delle proprie decisioni.
■ Ci si comporta con saggezza.

Consigli per lo stato Cerato

■ Esercizi respiratori, in cui si stabilisce il contatto con il Centro.
■ Mettersi in contatto con la natura: meditazione silenziosa in un ambiente naturale.

☞ *Suggerimenti per frasi programmatiche positive*:

➤«Voce interiore, parlami. Voce interiore, ti sento».
«Seguo il mio primo impulso».
«Solo io posso decidere ciò che è bene per me».
«Mi fido della mia guida interiore».

6. CHERRY PLUM
Mirabolano o **Susino asiatico**
Prunus cerasifera

In Inghilterra, i rami giovani, privi di spine, di questo albero o arbusto alto da 3 a 4 metri vengono spesso utilizzati per proteggere dal vento i frutteti. I fiori bianchi sono poco più grandi di quelli del susino selvatico o del biancospino e si aprono tra febbraio e aprile, prima della fogliazione.

Principio: Cherry Plum è legato al principio dell'apertura e della rilassatezza. Nello stato negativo ci si obbliga a sopprimere un processo di crescita mentale ed emotivo.

Lo stato Cherry Plum negativo è uno stato limite e viene percepito o a livello pienamente conscio o semiconscio. Chi vive consciamente in questo stato dice ad esempio: «Mi sembra di essere seduto su una polveriera e ho paura che esploda da un momento all'altro». Oppure: «Mi sorprendo con orrore ad avere dei pensieri di violenza, come prendere un coltello e piantarlo nella schiena di mia moglie».

Nello stato Cherry Plum si teme di perdere la testa, l'autocontrollo o addirittura la ragione. I nervi sono tesi allo spasimo e si avverte dentro di sé il ticchettio di una bomba a orologeria. Si ha paura di essere sul punto di commettere qualcosa di terribile, che ci segnerà per il resto della vita. Si avverte nel proprio interno il liberarsi di forze distruttive, non più controllabili.

Degli ex combattenti parlano di stati Cherry Plum negativi che si manifestano al fronte dopo giorni di fuoco martellante o dopo lunghe prigionie con interrogatori spietati. In questi casi, la personalità è umiliata al punto che si vorrebbe morire. Negli stati limite esiste realmente, almeno a livello spirituale, il pericolo di suicidio. Alcune immagini medioevali, raffiguranti, ad esempio, le tentazioni di Sant'Antonio, in cui le forze del male cercano di costringere il santo alla capitolazione, simboleggiano lo stato Cherry Plum.

Dal punto di vista psicologico, la causa di questo stato è da ricercare nella paura di andare interiormente alla deriva. Si cerca di evitare che emergano dall'inconscio immagini che riuscirebbero insopportabili. Le dottrine esoteriche ritengono possibile che in questi casi agiscano sul Karma gli eccessi di vite precedenti.

Ma vi è un'altra considerazione esoterica interessante che potrebbe spiegare la crescente presenza dello stato Cherry Plum nel nostro tempo: un numero sempre maggiore di anime sensibili s'incarnano sul nostro pianeta in un'atmosfera di maggiore caos, inquinamento e sfruttamento. Il forte contrasto fra la struttura del loro essere e le condizioni ambientali porta, ai livelli più delicati, a uno stato Cherry Plum cronico, che nei giovani può estrinsecarsi in una sorta di teso stordimento.

Nel corso dello sviluppo spirituale, può accadere di trovarsi in uno stato Cherry Plum negativo, quando si deve prendere un'importante decisione. In questo caso irrompono nella coscienza pensieri di disfacimento e immagini distruttive, anche se non necessariamente simili a quelle generate dall'estrema sensibilità descritta sopra.

Nello stato Cherry Plum negativo, la personalità è completamente scollegata dalla guida dell'Io Superiore. Quindi è incapace di fronteggiare le potenti forze che sente crescere dentro di sé, reagisce con la paura. Le manca la consapevolezza del principio che ogni sviluppo mentale e spirituale attiva contemporaneamente sia le forze solari, costruttive e positive, sia il loro polo opposto, le forze dell'oscurità, distruttive e negative. Presa da timore, cerca di mantenerle a livello subliminale, ma la pressione crea una contropressione.

Non appena si pone sotto la guida del proprio Io Superiore, la personalità viene condotta, attraverso il caos e l'oscurità, verso la luce della sua vera sorte e, con ciò, verso un sapere sempre maggiore. Vengono attivate enormi riserve di energia, che aiutano a sopportare estreme avversità esterne ed interne, che altre persone non riuscirebbero a sostenere. Esempi di stato Cherry Plum positivo sono le persone che sono sopravvissute all'inferno della guerra o a una lunghissima prigionia senza perdere la propria identità.

Nello stato Cherry Plum positivo, si è in grado d'immergersi nelle profondità del proprio subconscio e di esprimere e trasporre nella realtà le conoscenze e le esperienze ivi raccolte. Si è in grado di dominare forze potenti e di compiere immensi progressi nel proprio sviluppo.

Durante il trattamento, lo stato Cherry Plum si manifesta spesso già con la prima somministrazione. Compare anche, in questa fase, il timore della personalità di aprirsi ulteriormente al proprio processo evolutivo. Emerge infatti una paura generale della personalità di aprirsi maggiormente al proprio processo di sviluppo.

Questo stato negativo non è sempre percepibile dall'esterno. Negli stati limite, si tradisce spesso con una calma forzata, lo sguardo fisso degli occhi spalancati, il battito ridotto delle palpebre.

Cherry Plum si è dimostrato efficace nei bambini con enuresi notturna. Questi durante il giorno si controllano in modo tale che soltanto di notte, quando il controllo conscio dell'organismo viene a mancare, possono lasciare libero corso alle loro paure attraverso l'urinazione spontanea.

Cherry Plum è raccomandato nei soggetti con precedenti clinici ossessivo-psicotici, già in trattamento ospedaliero, che temono il ripetersi di nuove crisi, oltre che nei soggetti con tendenze suicide. In questi casi è comunque opportuno accertarsi, prima della somministrazione dell'essenza, che le persone siano seguite da un neurologo.

È stato comunque accertato che Cherry Plum costituisce un efficace trattamento di sostegno nel morbo di Parkinson e in forme patologiche analoghe. Esso avrebbe anche un'attività provvidenziale nella riabilitazione dei tossicodipendenti.

Distinzione degli stati ansiosi Rock Rose e Cherry Plum:

Rock Rose:	Stati di ansia estrema, con manifestazioni esteriori, in situazioni concrete.
Cherry Plum:	La paura dei propri conflitti subconsci è trattenuta interiormente. All'esterno si cerca di mantenere un atteggiamento indifferente.

Sintomi chiave

Paura di lasciarsi andare interiormente; paura di perdere la ragione; paura di cortocircuiti mentali; escandescenze improvvise.

Sintomi nello stato bloccato

■ Senso di «saturazione».
■ Si lotta per mantenere l'autocontrollo.
■ Senso di disperazione, si rasenta l'esaurimento nervoso.
■ Paura di commettere, pur contro il proprio volere, qualcosa di terribile.
■ Contrariamente alla propria inclinazione naturale, emergono impulsi violenti; si teme di fare qualcosa che normalmente non si farebbe mai.
■ Si temono forze spirituali incontrollabili dentro di sé.
■ Si teme d'impazzire, di essere ricoverati in ospedali psichiatrici.
■ Si ha l'impressione di essere seduti su una polveriera.
■ Si gioca con l'idea di farla finita.
■ Ossessioni, fissazioni.
■ Estrema tensione e contrazione interiore. A volte, non si riesce a star fermi e si cammina avanti e indietro. Autosservazione coatta.
■ Scoppi d'ira improvvisi e incontrollati, soprattutto nei bambini: si buttano per terra, battono la testa contro il muro, ecc.
■ I genitori temono di perdere il controllo; rischio di maltrattamenti.

Potenziale nello stato trasformato

■ Coraggio, energia, spontaneità.
■ Ci si riesce ad immergere nel profondo del proprio subconscio e ad integrare nella vita reale le proprie convinzioni ed esperienze.
■ Si ha accesso a un grande serbatoio di forze spirituali.
■ Si riescono a sopportare gravi sofferenze psichiche e fisiche senza derivarne «danni spirituali».
■ Si è in grado di assimilare vaste conoscenze, di capire qual è il vero compito della propria vita e di compiere grandi progressi nel proprio sviluppo.

Consigli per lo stato Cherry Plum

■ Cercar di trovare il coraggio di aprirsi e «scattare».
■ Esercitarsi a scattare anche fisicamente, ad esempio in piscina, salto dal trampolino di tre metri.
■ Introdurre nella propria vita elementi di gioco e di spontaneità.
■ Esercizi yoga per l'armonizzazione della tiroide.

☞ *Suggerimenti per frasi programmatiche positive*:

«Mi libero dei miei vecchi modelli mentali».
«Le mie forze sono a mia disposizione».
«Mi affido alla mia guida interiore».
«Adempio al compito della mia vita».

7. CHESTNUT BUD
Gemme di ippocastano
Aesculus hippocastanum

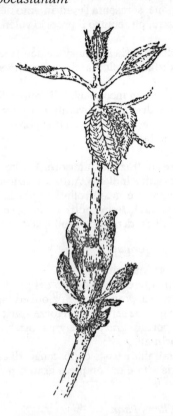

Questa pianta viene utilizzata anche per l'essenza ricavata dai fiori, oltre a quella ricavata, come in questo caso, dalle gemme, che, sotto uno strato colloso di 14 membrane, nascondono contemporaneamente fiori e foglie.

Principio: Chestnut Bud è collegato con i potenziali di apprendimento e di concretizzazione. In negativo risulta difficile coordinare il proprio mondo interiore in maniera esatta con la realtà materiale.

Nello stato Chestnut Bud negativo si tende a ripetere continuamente gli stessi errori. Agli occhi altrui sembra che questi soggetti non imparino niente dalla vita. Una donna, ad esempio, acquista ripetutamente delle camicette del solito colore rosa, anche se sa che la tinta non le dona e se nell'armadio ne ha un'altra mezza dozzina che non mette mai. Alla domanda perché ripeta questo errore, risponde con impaccio: «Già, è strano, continuo a cascarci...».

Un altro esempio è quel vicino di casa che finisce sempre con l'inseguire lo stesso tipo di donna coi capelli rossi, vistosa, tutt'altro che adatta al suo carattere. Tutti si chiedono perché non ne cerchi una diversa ed egli, un po' ingenuamente, risponde: «Beh, me lo chiedo anch'io, si vede che non ho fortuna...», ma poi abborda la prima rossa che vede.

Molte persone nello stato Chestnut Bud non fanno apparentemente nessun progresso e sembrano trottole in continuo movimento. Spesso la loro fantasia le porta oltre la realtà, come nel caso di quello scrittore che ha appena steso tre capitoli di un libro e già lavora al progetto di un secondo e di un terzo. È chiaro che, in circostanze come queste, c'è da dubitare che finisca mai il primo.

Nello stato Chestnut Bud negativo i soggetti hanno difficoltà a fare un bilancio della situazione e a usare le esperienze fatte per ottenere migliori risultati in futuro. Al contrario, sono sempre nuovamente spinti a buttarsi a capofitto in nuove avventure, destinate a finir male anch'esse, perché ripetono una volta di più lo stesso errore. Ma, anche così, queste persone non sono mai veramente infelici.

Può però accadere che questi soggetti, nel corso degli anni, sviluppino periodicamente sintomi di malattie organiche, ad esempio cefalee insistenti, che si manifestano puntualmente dopo gli stessi litigi per la stessa causa con la stessa persona. Oppure, la famosa ulcera duodenale, che si manifesta, puntuale come un orologio, ogni qual volta si trovano in una situazione di stress da surmenage. «Che ci posso fare?» rispondono e si precipitano in farmacia ad acquistare le solite compresse, anziché chiedersi quale possa essere il collegamento fra la loro ulcera e la loro filosofia di lavoro. A queste persone non viene neanche in mente di chiedere ai colleghi delle loro esperienze, per sentire l'opinione di altri.

Una persona nello stato Chestnut Bud negativo è come un cavallo da ostacoli che abbia il paraocchi e che continui ad affrontare e a mancare la stessa barriera. Vista dall'esterno, la scena sembra la ripetizione continua di una stessa serie di fotogrammi. L'azione non procede, non vi sono sviluppi, in quanto il film può riprendere solo quando il fantino scende da cavallo e si chiede perché ciò avvenga e come possa cambiare la situazione. Nel momento in cui lo ha capito, l'ostacolo verrà superato senza esitazioni e l'azione potrà andare avanti.

Gli estranei hanno a volte l'impressione che queste persone stiano sempre fuggendo da se stesse e che si rifiutino di porsi in un rapporto chiarificatore con il proprio passato e la propria vita in generale. Ma, non essendo in grado di trarre un qualsiasi beneficio dalle precedenti esperienze, si ritrovano sempre a mani vuote. Non hanno individuato alcuna base su cui impostare le decisioni da prendere e ancor meno un principio che serva loro come guida per costruirsi un futuro.

Sembra quasi che la personalità si ostini in un atteggiamento infantile nei confronti del proprio Io Superiore e che preferisca «marinare» la scuola della vita. Così essa volta assurdamente le spalle alla propria realtà energetica. Porta avanti ostinatamente il suo «piccolo io», anziché aprirsi e farsi portare dalle proprie energie superiori.

Nello stato Chestnut Bud negativo, si deve imparare a nuotare come un pesce assieme al branco nella corrente del fiume, non già andare avanti e indietro in poco spazio, come se si fosse in un acquario. È necessario capire che non si può fuggire dal proprio passato verso il futuro, quest'ultimo altro non essendo che lo specchio del primo: il vero sviluppo ha luogo nel presente. Non si può dunque sfuggire al proprio passato, che ci raggiunge con sempre nuovi scenari.

Chestnut Bud sembra rappresentare uno stato di energia molto giovanile ed è infatti assai spesso indicato nel trattamento dei bambini.

Questi ultimi si riconoscono facilmente, in quanto sembrano perennemente sbadati e distratti, non portati, come i bambini Clematis, a sogni e fantasie. Non sembrano in grado di registrare molte cose. Così, dimenticano sempre di portare con sé la merenda, nel dettato fanno sempre gli stessi errori e i loro risultati sono inferiori a quelli degli altri scolari.

«Il bambino è un po' indietro», dicono i genitori, senza rendersi conto che il figlio vive in una realtà spazio-temporale completamente diversa, in quanto non è in grado di coordinare ciò che avviene in lui con una frequenza di oscillazione diversa, a volte molto superiore, con la frequenza di oscillazione del suo ambiente. Se poi i genitori cercano d'imporre al figlio la realtà spazio-temporale «normale», raggiungono l'esatto contrario di ciò che volevano: il bambino è interiormente disorientato e reagisce in modo maldestro e apparentemente sciocco. Invece, se i genitori cercano non di alleggerire la pressione ma di sintonizzarsi sulla frequenza del figlio, riusciranno a raggiungerlo nello spazio in cui si trova in quel dato momento. Ecco allora che le sue capacità potranno svilupparsi in base a leggi evolutive proprie ed egli farà progressi sorprendenti in poco tempo.

Chestnut Bud aiuta a coordinare meglio le attività mentali interiori con le circostanze materiali della realtà. La persona impara lentamente, ma definitivamente, a vedere le cose con calma, senza sentirsi sotto pressione. Incomincia a imparare per il futuro, sia dalle proprie esperienze, sia da quelle altrui, è in grado di sviluppare un certo distacco da se stessa, che le permetterà di vedersi anche come gli altri la vedono. Così, getterà le basi di sempre nuove esperienze e ricomincerà a godere della propria vita.

Sintomi chiave

Tendenza a ripetere sempre gli stessi errori, incapacità di elaborare realmente le proprie esperienze.

Sintomi nello stato bloccato

■ Si hanno continuamente le stesse difficoltà, litigi, incidenti, ecc.

■ Si dà l'impressione d'imparare con estrema lentezza, sia per mancanza d'interesse, indifferenza, precipitazione interna, sia per mancanza di capacità di osservazione.

■ Le esperienze non vengono elaborate a sufficienza; gli accadimenti vengono vissuti in superficie.

■ Si tende a buttarsi subito in una nuova avventura, anziché smaltire quella appena passata.

■ Non si pensa a imparare dalle esperienze altrui.

■ Essendo mentalmente ben più avanzati degli altri, in una data situazione si reagisce spesso in maniera distratta, impaziente, priva d'interesse.

■ Si ha l'impressione di guidare una vettura con la marcia sbagliata.

■ Agli altri si dà l'impressione di essere spensierati, perfino ingenui.

■ S'impara lentamente, la capacità di apprendimento sembra bloccata, lo sviluppo ritardato.

■ In concomitanza con quanto sopra, possono manifestarsi periodicamente sintomi patologici, come cefalee, acne, ecc.

Potenziale nello stato trasformato

■ Ci si può applicare facilmente a diversi argomenti; buona capacità di apprendimento.

■ Mente brillante; impara osservando il comportamento altrui.

■ Si seguono con attenzione tutti gli avvenimenti della vita, in particolare le vicende negative e i propri errori.

■ L'attenzione è sempre rivolta al presente; ogni esperienza è un accrescimento della personalità.

■ Si sanno sfruttare al meglio le esperienze quotidiane.

■ Si è in grado di vedere se stessi e i propri errori con gli occhi degli altri.

Consigli per lo stato Chestnut Bud

■ Ogni sera ripercorrere mentalmente la giornata trascorsa e analizzarla: che cosa ho imparato oggi? La prossima volta che cosa posso cambiare e come?

■ Hobby che scarichino il sistema nervoso, ad esempio ceramica, giardinaggio, ecc.

☞ *Suggerimenti per frasi programmatiche positive*:

«Ogni esperienza m'insegna qualcosa di nuovo».

«Capisco sempre prima ciò che sta per succedermi e prevengo i possibili errori».

«So rendermi conto di che cosa si tratta».

«La calma interiore mi mantiene nel presente».

8. CHICORY
Cicoria selvatica
Cichorium intybus

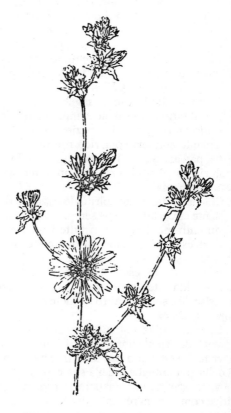

La pianta, ampiamente ramificata, alta circa 90 cm, cresce su terreni ghiaiosi e sul pietrisco, su campi non coltivati e su strade aperte. Dei fiori azzurri a forma di stella se ne aprono sempre alcuni contemporaneamente. Sono molto delicati e appassiscono subito dopo essere stati raccolti.

Principio: Chicory è legata al potenziale spirituale della maternità e dell'amore altruista. Nello stato Chicory negativo queste facoltà sono volte al negativo e indirizzate egoisticamente verso se stessi.

Si è invitati ad un ricevimento, la figlioletta Cornelia di nove anni ci apre la porta. È graziosa con i lunghi riccioli, nel suo primo vestito lungo. È quello che pensano anche gli altri ospiti. Cornelia gode del suo successo e si muove come una piccola stella del cinema. Ma ella sembra non gradire che a poco a poco l'interesse degli ospiti si volga verso argomenti più da adulti. Con il pretesto di riempire i bicchieri si aggira di gruppo in gruppo tentando di intromettersi nei discorsi degli adulti. Quando, a mezzanotte, sua madre pensa sia ora che vada a letto, ella si mostra indispettita. Scoppia in un forte pianto riportando l'attenzione degli ospiti di nuovo su di sé. Questo è il tipico comportamento di un bambino con carattere Chicory.

Molto bambini hanno bisogno di Chicory. Li si riconosce già nella culla per il fatto che esigono sempre l'attenzione dei familiari per sé e che reagiscono con pianti impazienti se li si lascia soli. Quando crescono e il pianto non serve più, ricorrono ad altri trucchi. Essi usano tutti i registri, passando dalla lusinga attraverso lo zelo sino alla malattia e a piccoli ricatti: «Faccio i miei compiti, ma solo se non devo andare in palestra domani».

Chicory è uno stato spirituale negativo da non ignorare, dal quale l'ambiente circostante viene sempre coinvolto energicamente. Si manifesta in entrambi i sessi e in tutte le età, e si tratta prevalentemente sempre di esercizio d'influenza, di pretese, di non volere lasciar perdere idee, cose e sentimenti. Osservate come due tenori famosi si salutano ad un ricevimento: esteriormente in modo gioviale e ostentatamente collegiale. Ma interiormente, si può praticamente vedere il piccolo Io che vi risiede e spia se l'altro riscuote più simpatia. Anche questo è tipicamente Chicory.

Gli individui in stato Chicory negativo hanno un accentuato atteggiamento di aspettazione. In tali individui il condizionamento della «supermadre» è molto marcato. In perenne preoccupazione per gli affari della sua famiglia e della sua cerchia di conoscenze la «supermadre» vuole sempre intromettersi dappertutto. Organizza, critica, guida e dirige come un maresciallo di campo. Sempre avrà da aggiustare, da proporre o da osservare qualcosa. Motto: «Lo dico soltanto perché ti voglio bene!». Ella è spesso infinitamente generosa, ma costringe quasi la famiglia ad accettare i suoi benefici. E guai!, se non le si è riconoscenti.

I caratteri Chicory dispongono volentieri con un orgoglio interno di possesso dei sentimenti e della vita dei loro familiari. Le madri Chicory stanno bene veramente solo nella cerchia dei «loro cari», i loro figli adulti nei giorni festivi devono tornare da lontano per non deludere la mamma, e quando si oppongono, ricevono tante telefonate e vengono così ossessionati sinché non arrivano.

Non per tutti i bambini è facile staccarsi da una madre amorosa così possessiva. Alcuni figli e le loro famiglie rimangono per decenni sotto il loro influsso, tralasciando di compiere importanti passi nel loro sviluppo. Se infine un figlio trova la forza di staccarsi, la madre Chicory esprime così la sua delusione: «Come puoi farmi questo, dopo tutto quello che io ho fatto per te», si lamenta piena di autocompassione.

Benché qui nell'esempio venga illustrata una «supermadre», lo stato Chicory negativo è ovviamente altrettanto ricorrente negli uomini; così non vi è ad esempio quasi nessun giurista senza questo potenziale.

Dietro ad ogni stato Chicory vi è una profonda insoddisfazione spirituale, un vuoto interiore, spesso il sentimento di non essere voluti o di non essere mai amati veramente. Non di rado alla base di uno stato Chicory negativo sta infatti un'infanzia povera d'amore. Alcuni descrivono questo sentimento come un buco nero o una botte senza fondo, che deve essere sempre nuovamente riempita da dedizione, riconoscimento e autoconferma. Per questa esigenza nello stato Chicory negativo si impiegano la propria forza di volontà e l'intera abilità di manipolazione. Poiché in questo stato di svuotamento non si è capaci di dare amore, si soffre di insicurezza interiore o di innumerevoli paure di perdere qualcosa o qualcuno. Se malgrado il proprio deficit sentimentale si attivano per una volta i sentimenti, questi hanno necessariamente un carattere di investimento: «Ti amo a condizione che...». Una esperta inglese di Bach descrive lo stato Chicory negativo esattamente come «the needy mother», «la madre bisognosa». (Contrariamente a Heather, «il figlio bisognoso».)

Negli individui caratterizzati da Chicory è presente potenzialmente una grande forza interiore e un'autentica capacità d'amare che può essere destata quando si è pronti a fare un dietro-front. Bisogna riconoscere che si può riempire il buco nero solo con la sorgente d'amore che sgorga nel proprio interno, che scorre non udita dalla propria anima.

Non appena si pone la propria attività secondo i dettami della propria anima al servizio altruistico degli altri uomini e del più grande Tutto, si nota che questa sorgente di amore divino inizia a fluire, e si avverte un'immensa forza e sicurezza crescere dentro di sé.

Allora non si ha più bisogno di carpire dedizione e amore poiché vengono da soli. Non bisogna nemmeno più temere di perdere nuovamente questa dedizione, poiché la sorgente spirituale interna fluisce inesauribile.

Lo stesso Bach paragonò lo stato Chicory positivo con l'archetipo della «madre universale», il potenziale spirituale materno, presente in ogni individuo in modo latente, sia uomo che donna. Gli esoterici avanzano a questo riguardo l'ipotesi che molti individui cadono nello stato Chicory negativo perché qui in occidente si sono eliminate dalla coscienza troppe sfaccettature di questa grande energia archetipa materna, e ci si è concentrati ancora solo sugli aspetti più facilmente accettabili, ad esempio quello della «vergine», come viene incarnato dalla Vergine Maria. Un'altra interessante riflessione esoterica è che gli individui che sono rimasti in molte esistenze sotto l'universale influenza di una «Madre Chiesa», esigente una necessaria obbedienza, sono particolarmente predestinati allo stato Chicory negativo.

Nello stato Chicory positivo la grande energia materna può essere esplicata positivamente, dispone di tutto in abbondanza, si può dare disinteressatamente senza aspettarsi un contraccambio o senza esigere interiormente. Ci si dedica con abnegazione agli altri. Si spiegano le ali del calore, della cordialità e della sicurezza sotto le quali gli altri individui possono sentirsi protetti.

Nella prassi ci si imbatte, per quanto riguarda Chicory, quasi sempre in una problematica materna, così come in un insieme di manifestazioni organiche concomitanti, per es.: manifestazioni patologiche della presa, manifestazioni del blocco energetico nella zona inferiore, manifestazioni fisiche emozionali e avvelenamento spirituale. Chicory era già presso gli antichi egiziani un amico del fegato.

Sintomi chiave

Personalità possessiva, che si intromette eccessivamente e che tende a manipolare gli altri. Ci si aspetta dal proprio ambiente una piena dedizione e ci si crogiola nell'autocompassione, quando non si riceve quel che si vuole.

Sintomi nello stato bloccato

- Egoista, tiranno; eccessivamente esigente.
- Veglia come una chioccia sui bisogni, i desideri e gli sviluppi della propria famiglia e della cerchia dei propri amici.
- Ha sempre qualcosa da notare, proporre, rettificare.
- Iperprevidente, iperattivo.
- Fa quasi tutto senza pensare alle conseguenze per gli altri.
- Amore legato a condizioni: «Ti amo, se...».
- Cerca di raggiungere molto per vie traverse.
- Manipola, fa il diplomatico, si comporta tatticamente in modo abile, per realizzare il proprio volere o per mantenere un'influenza.
- Affettuosi ricatti.
- Vorrebbe mantenere invariati legami affettivi superati, per es. la relazione mamma-bambino o fidanzato-fidanzata.
- Cede e dimentica difficilmente.
- In segreto si ha paura di perdere amici, relazioni o proprietà.
- Si sente messo da parte, superato od offeso.
- Autocompassione: «Nessuno mi ama».
- Esagera nel descrivere la propria «miseria».
- Si rifugia in certe circostanze in una malattia, nel prendere parte a risvegliare o esercitare un'influenza.

■ Se non ottiene ciò che vuole diventa irritato e recita la parte del martire.

■ Scoppia in lacrime per l'ingratitudine altrui.

■ Parla di «cosa ha reso colpevole gli altri nei suoi confronti».

■ Bambini che esigono dedizione continua.

■ Problematica psicologica della madre.

Potenziale dello stato trasformato

■ «La madre universale» (archetipo).

■ Ci si occupa degli altri con grande amore e dedizione.

■ Si dona senza aspettarsi nulla in contraccambio o senza averne bisogno.

■ Calore, cordialità, tatto; si è protetti in se stessi.

■ Si dà agli altri protezione e sicurezza.

Consigli per lo stato Chicory

■ Esercizi fisici di rilassamento.

■ Lasciarsi massaggiare.

■ Esercizi di respirazione che armonizzino il cuore.

☞ *Suggerimenti per frasi programmatiche positive*:

«Dono senza esigere».
«Lascio libero ciò che ho trattenuto».
«Rispetto i limiti di ogni individuo».
«Dispongo di tutto in abbondanza».
«Trovo sicurezza in me stesso».
«Mi apro alla sorgente divina che è in me».

9. CLEMATIS
Vitalba
Clematis vitalba

Il rampicante legnoso cresce su terreni calcarei, sui pendii, nelle macchie e nei boschi. Il fusto delle piante più anziane, alte sino a 12 m, è simile alla canapa e spesso da 2 a 3 cm. Il tempo della fioritura va da luglio a settembre. I fiori odorosi hanno quattro sepali color panna tendente al verde chiaro. In autunno i pistilli diventano filamentosi e argentati, come i capelli di un vegliardo.

Principio: Clematis è legata al potenziale spirituale dell'idealismo creativo. Nello stato Clematis negativo la personalità tenta di prendere parte alla vita reale il meno possibile per ritirarsi in un proprio mondo immaginario pieno di fantasia.

Si incontra la figlioletta dei vicini in strada. Essa vi guarda fissamente, con uno sguardo sognante, senza neanche riconoscervi, tipicamente Clematis. Allo stesso modo della bambina, il nostro piccolo professore distratto, fisicamente siede a pranzo ma nella sua mente sta viaggiando come un comandante di una nave spaziale attraverso il Tutto. Ed anche la nota violinista a fianco, che nei confronti dei problemi quotidiani agisce un po' maldestramente, è una rappresentante di Clematis. «Davvero? Che cosa mi stai dicendo!». Tali ed altri frasi stereotipate si sentono spesso da individui in stato Clematis, i quali non hanno alcun interesse verso quello che l'altro comunica perché sono mentalmente altrove.

Gli individui in stato Clematis sono vagabondi attraverso i mondi.

La realtà non è per loro particolarmente attraente perciò ogni volta che è possibile abbandonano il noioso presente ritornando nei castelli in aria della loro fantasia. Quando qualcosa minaccia di diventare spiacevole o difficile essi con orrore del loro partner avanzano spesso delle proposte risolutive altamente irreali o si dedicano ad illusioni idealistiche.

Nello stato Clematis negativo la personalità annette evidentemente poca importanza alla realtà. Per questo sul piano fisico spesso vi è troppo poca energia disponibile. Questa sottrazione di energia può mostrarsi fisicamente e nel comportamento. Chi necessita molto di Clematis soffre spesso a causa delle mani e dei piedi freddi, e avverte la testa talvolta completamente vuota. La sua memoria inoltre lascia a desiderare, particolarmente per quanto riguarda i dettagli. Egli va in cucina, urta per mancanza di orientamento fisico contro lo stipite della porta e non sa più che cosa voleva veramente qui in cucina.

Poiché proietta nel suo cinema interiore preferibilmente film suoi, invece di prendere parte al grande teatro del mondo, l'individuo caratterizzato da Clematis può prima o poi tendere a disturbi visivi o auditivi. Per il suo sognare ad occhi aperti viene facilmente coinvolto in incidenti stradali. Gli individui nello stato Clematis dormono volentieri, profondamente e a lungo, spontaneamente e talvolta anche non spontaneamente davanti al televisore, alle conferenze o alla predica domenicale. La loro vivace vita interiore non lascia molta forza di concentrazione per l'argomento. Gli individui Clematis agiscono quasi sempre un po' intorpiditi; essi non sono mai propriamente lucidi.

Poiché l'individuo in stato Clematis spreca la maggior parte delle energie psichiche sul piano interiore, non lo si vedrà mai diventare violento.

Egli mostra meno avversioni o paure. Talvolta egli reagisce con la stessa indifferenza irritante ad una buona notizia come ad una funesta.

Se gli individui Clematis si ammalano, il medico avrà filo da torcere, poiché il loro istinto di conservazione è debole e con esso anche l'impulso a guarire.

Qualche volta si riceve quasi l'impressione che i pazienti Clematis non abbiano assolutamente niente in contrario a lasciare questa terra, forse per ricongiungersi nell'aldilà con un individuo amato.

Edward Bach definì lo stato Clematis nient'altro che una cortese o decente forma di suicidio. L'ondata romantica di desiderio suicida sul finire del diciannovesimo secolo era un'espressione perfetta di stato Clematis negativo.

Gli individui Clematis hanno spesso un potenziale creativo maggiore rispetto alla media. Perciò li si trova spesso impegnati in attività nelle quali vengono elaborati sogni e immaginazioni, per es. nella moda, nella cinematografia e nella stampa. Se il loro potenziale creativo non viene convertito nella realtà, si arriva quasi automaticamente ad uno stato Clematis, nel quale l'energia creatrice può manifestarsi distorta come romanticismo esagerato, eccentricità o sotto forma di una qualsivoglia idea fissa.

Molti individui in stato Clematis negativo sperano volentieri in un futuro migliore, nel quale si possano finalmente realizzare gli autentici ideali umani, similmente a come ora molti individui attendono un crollo totale, nella speranza che in seguito irrompa finalmente la «new age», una nuova era aurea.

Con ciò tuttavia la personalità in stato Clematis negativo non pensa che ogni futuro prende forma nel presente, e che in questo compito è inclusa ogni energia, ogni mano, ogni testa, ogni cuore secondo i dettami dell'Io Superiore. Chi semplicemente scende e aspetta che tutto sia pronto, non danneggia soltanto il grande Tutto, ma anche l'intenzione e mostra di non comprendere la propria anima e il senso della sua esistenza sulla terra.

Se la personalità si apre al suo compito reale, riconosce sempre più la vera connessione tra il mondo fisico e quello spirituale e il senso più profondo dell'intero accadere. Così anche la sua vita reale diventa di giorno in giorno più interessante.

L'energia Clematis positiva la si trova negli individui che hanno la loro ricca fantasia sotto controllo, e possono investirla direttamente nel mondo della materia, individui i quali arricchiscono il loro ambiente con la bellezza e la sensibilità dei loro pensieri e delle loro azioni, ad esempio in qualità di artisti, guaritori (medici), idealisti pratici.

Clematis può essere un rimedio a lungo termine, può essere però anche bene impiegato in tutti gli stati fisici o spirituali transitori, nei quali la coscienza viene assorbita, per la gioia, la tristezza o per le condizioni fisiche, dal presente.

I tipici individui Clematis sopportano gli psicofarmaci, gli esperimenti a base di droghe e la mancanza di sonno ancora peggio della media degli individui. Alcuni medici utilizzano Clematis per eliminare delle minacce d'infezioni, perché mette il fisico di nuovo più fortemente in comunicazione con i suoi altri piani.

Clematis unito ad altri fiori di Bach ha aiutato coppie, la cui sterilità non aveva origini organiche, ad avere un bambino.

Sintomi chiave

Tendenza a sognare a occhi aperti, a distrarsi e a fuggire nella fantasia; scarso interesse per gli eventi circostanti.

Sintomi nello stato bloccato

- Assorto nei pensieri, confuso, raramente del tutto presente.
- Disattento, distratto, sogna a occhi aperti.
- Manca un vivo interesse per il presente, vive più nel mondo della sua fantasia.
- «Viandante tra i mondi», raramente si sente «a casa».
- Si lascia nella propria vita moltissimo spazio alla fantasia.
- Si agisce facilmente in maniera un po' confusa.
- Nella difficoltà ci si rifugia in idee irreali e illusorie.
- Sguardo tipico: viene da lontano e si perde lontano, «occhi sognanti».
- Si agisce in maniera trasognata, dormendo, mai lucidamente.
- Si reagisce alle buone così come alle cattive notizie con la stessa indifferenza.
- Poiché non si è pienamente nella realtà non si hanno quasi né ansie né angosce.
- Appare privo di vitalità, spesso notevolmente pallido.
- Si hanno facilmente mani e piedi freddi o un senso di vuoto alla testa.
- Senso di sospensione, ci si sente intorpiditi talvolta come sotto narcosi leggera.
- Si ha bisogno di molto sonno, si sonnecchia volentieri, ci si può appisolare nei momenti più impossibili.
- Ci si confonde facilmente, tendenza allo svenimento.
- Senso di debolezza fisica, si urta facilmente.
- Cattivi pensieri, nessuna memoria per i particolari: per disinteresse non ci si dà la pena di ascoltare bene.
- Tendenza a disturbi visivi e auditivi, essendo gli occhi e le orecchie volti più verso l'interno che verso l'esterno.
- In caso di malattia si mostra poco impulso a guarire rapidamente, essendo l'istinto di conservazione debole.
- Non si distingue più con precisione tra la realtà e la fantasia.
- Inclinazioni creative non vissute sino in fondo; individui artisticamente dotati costretti a fare aridi mestieri per guadagnarsi di che vivere.

Potenziale nello stato trasformato

■ Si domina il proprio mondo dei pensieri, giornalmente si ottengono dalla realtà nuovi stimoli perché si capiscono e si accettano le connessioni tra i mondi differenti ed il senso profondo che vi è dietro.

■ Conversione finalizzata della creatività nella realtà fisica, per es. come scrittore, attore, grafico, ecc.

Consigli per lo stato Clematis

■ Hobby creativi, nei quali il potenziale creativo non sfruttato deve essere trasformato nella materia, per es. tessere, dipingere e simili.

■ Occuparsi teoricamente e praticamente del principio «Come dentro, così fuori».

■ Esercizi yoga, che rinforzino il corpo eterico.

■ Molta luce e sole.

☞ *Suggerimenti per frasi programmatiche positive*:

«Riconosco sempre più spesso la relazione tra mondo interno e mondo esterno».

«Il mio compito è nel presente concreto».

«Mi lascio ispirare e converto le mie idee in azione».

«Partecipo».

10. CRAB APPLE
Melo selvatico
Malus sylvestris

Si tratta probabilmente di un melo una volta coltivato e successiva-mente inselvatichito, con ampia corona e rami terminali rostrati, con un'altezza massima di 10 m. Cresce nelle fratte, nelle macchie e nelle ra-dure. I petali a forma di cuore sono esternamente di un rosa intenso, in-ternamente di una sfumatura rosa pallido. Epoca della fioritura: maggio.

Principio: Crab Apple è legata al mondo dell'ordine, della purezza e della perfezione. Nello stato Crab Apple entrano spesso individui che hanno idee precise su come debbano mantenersi il proprio ambiente, il proprio corpo e la propria interiorità: immacolati.

Tutto ciò che svia da queste idee di purezza, ideali ma molto perso-nali li confonde e li opprime, li rende tristi, talvolta disperati e li riempie in casi estremi di disgusto per se stessi. Può trattarsi di un pensiero negativo, dal quale non avrebbero voluto assolutamente lasciarsi trascinare, di un'osservazione veemente sfuggita contro la loro volontà interiore. Possono essere innocui foruncoli sul viso a disturbare così tanto da far decidere di andare subito dal dermatologo. Potrebbero essere anche i tre centimetri di tappeto mancanti in un locale rimesso a nuovo a non lasciar loro pensare a nient'altro che a un nuovo tappeto da procurarsi per rimediare all'errore. In ogni caso il pretesto è per lo più insignificante in rapporto allo spreco interiore che determina.

L'errore della personalità risiede anche in una falsa direzione dello sguardo. Si osservano dei frammenti, secondo alcuni principi di massima, per così dire sotto la lente d'ingrandimento; ci si fissa e ci si perde nel dettaglio sinché davanti agli alberi non si vede più il bosco. Se si potesse guardare nell'altra direzione e aprirsi sul proprio Io Superiore a principi di ordine superiore, si avrebbe automaticamente una distanza maggiore, si vedrebbero le cose nelle giuste proporzioni e si ritroverebbe rapidamente la calma. Ma ciò, per chi necessita di Crab Apple, è più facile a dirsi che a farsi, dato che questi individui sono per lo più sensitivi in modo superiore alla media e percepiscono su un piano più sottile molto più di quanto potrebbe sopportare la loro costituzione.

Questo peso inconscio dà spesso loro la sensazione di essere sporchi, congestionati o bisognosi di purificazione. Se non conoscono ancora il rimedio spirituale e la via per la purificazione tentano di risolvere la cosa sul piano fisico. Ciò può portare talvolta a forme grottesche: lavarsi le mani continuamente o farsi la doccia sino a sei volte al giorno. C'erano pazienti Crab Apple che non potevano dare un bacio senza avere prima usato uno spray per l'alito. Spesso nello stato Crab Apple l'individuo, che possiede già un ideale di purezza erroneo, ha nei confronti del suo corpo un atteggiamento piuttosto distorto.

Coloro che necessitano spesso di Crab Apple sono frequentemente così impressionati da una singola piccolezza, a causa della loro sensitività superiore alla media, da essere interiormente del tutto impegnati ad elaborare questa impressione. Quindi non rimangono loro energie per considerare le cose in contesti più ampi. Casalinghe con la fissazione della pulizia hanno spesso problemi che richiedono Crab Apple. I piedi bagnati dei loro figli le preoccupano principalmente a causa delle macchie sulla moquette nuova. La riflessione più importante che i piedi bagnati possano portare un raffreddore viene fatta soltanto dopo aver accantonato mentalmente le macchie.

Il forte desiderio interiore di purezza rende molti individui in stato Crab Apple più paurosi rispetto alla media nei confronti di insetti, batteri, cibo eventualmente guasto e pericolo di infezioni di qualunque tipo. Quando sul giornale appare il primo avviso di un'ondata influenza-

le, i caratteri Crab Apple prendono subito tutte le precauzioni possibili
per non caderne vittime.

Ciò non è così immotivato come può accadere a personalità strut-
turate in maniera differente, poiché gli individui caratterizzati da Crab
Apple mostrano di possedere la particolare capacità di assorbire le impurità e le energie oscure dal loro ambiente.

Nello stato Crab Apple positivo alcuni di essi sono capaci di trasformare terapeuticamente queste energie. Un'esperta di Bach definisce molto esattamente questi individui «aspirapolveri spirituali».

Un esempio estremo per questo stato Crab Apple positivo progre-
dito è Mahan Tantrik, allora maestro di yoga tantrico, che assorbiva
contemporaneamente nei suoi esercizi di gruppo l'energia bloccata di
150 e più persone, la trasformava dentro di sé come un filtro e la lascia-
va rifluire al gruppo per così dire appena purificata. Egli si definiva alle-
gramente «spazzino».

Anche se questa straordinaria energia Crab Apple positiva possibilmente si incarna in un solo individuo per un periodo, un riflesso lo
avverte chiunque sia in stato Crab Apple positivo. Egli riconosce che disarmonie esteriori sono sempre l'immagine riflessa della mancanza interna di equilibrio, e che quindi sta in suo potere ristabilire l'armonia
all'esterno tramite un cambiamento interiore. Riconoscere questo è il
primo passo verso la guarigione.

Crab Apple purifica da impressioni negative, per es. in seguito a la-
vori sporchi o a cure lunghe e penose. Crab Apple, al contrario di altre
essenze floreali, ha spesso una doppia efficacia. La purificazione può
aver luogo sul piano spirituale e fisico.

Per questo Crab Apple ha dato buoni risultati nella cura di impurità della pelle, naturalmente sempre in accordo con altri fiori di Bach
dal carattere tipico. Nelle applicazioni esterne si mettono 10 gocce circa dal flacone per la somministrazione in una vasca. Cinque gocce bastano per impacchi e compresse.

Alcuni medici hanno consigliato Crab Apple come sussidio per una
cura del digiuno. Altri per abbreviare i postumi di un catarro. Alcuni
prescrivevano Crab Apple per i raffreddori latenti e per meglio controllare le conseguenze di forti terapie chimiche (antibiotici, narcotici).
Con Crab Apple sono stati eliminati sporadicamente persino calcoli bi-
liari. Alcuni curatori con il metodo Bach assumono una combinazione
di Crab Apple tra una seduta e l'altra, per mantenere il più limitato possibile l'influsso sul proprio campo energetico da parte del campo energetico altrui. Insieme a misure di soccorso, Crab Apple è stata impiega-
ta anche per il trattamento di piante assalite da parassiti e travasate.

Sintomi chiave

Ci si sente interiormente sporchi, impuri o infetti. Si prova vergogna di se stessi e ci si concentra eccessivamente sui dettagli.

Sintomi nello stato bloccato

■ Accentuazione del principio della purezza sul piano spirituale-mentale e/o fisico.
■ Spiccato senso di «igiene spirituale».
■ Ci si disgusta di se stessi perché si è fatto qualcosa che non è in accordo con la propria vera natura interiore.
■ Si ha la sensazione di doversi lavare da pensieri impuri.
■ Ci si sente colpevoli, macchiati.
■ Si sopravvalutano i particolari e si perde il filo conduttore.
■ Si rimane impigliati nei dettagli, ci si lascia irritare dalle piccolezze.
■ Eccessivo bisogno di precisione e pedanteria.
■ Tutto deve sempre sembrare estremamente curato.
■ Sensibile al disordine nel pubblico e nel privato.
■ Si hanno a volte difficoltà con manifestazioni vitali fortemente terrene e fisiche come il soddisfarsi sessualmente, il baciare, ecc.
■ Ci si disgusta di sé per eruzioni cutanee, piedi sudati, foruncoli, verruche e simili.
■ Si è interiormente allergici alla sporcizia, agli insetti, al pericolo dei batteri e simili.
■ Forte bisogno di purificazione sino all'obbligo di lavarsi.
■ Si temono i cibi eventualmente guasti, le toilette sporche, le medicine sbagliate, l'inquinamento, ecc.
■ A volte si prova anche un forte bisogno fisico di evacuare.
■ Si vorrebbero risolvere immediatamente anche piccole manifestazioni patologiche e si è molto scoraggiati se non ci si riesce.

Potenziale nello stato trasformato

■ Si è magnanimi e non si perde il controllo per le piccolezze.
■ Si vedono le cose nella giusta prospettiva.
■ Comprensione per i contesti superiori.
■ Si riconosce ciò che non è chiaro nel proprio ambiente e si è in grado di trasformarlo.

Consigli per lo stato Crab Apple

■ Accettare che l'uomo sia un essere imperfetto.
■ Badare al sonno sufficiente e al riposo per il sistema nervoso.
■ Yoga e altri esercizi per la purificazione delle ghiandole e l'armonizzazione del sistema nervoso.

■ Meditazione regolare.
■ Drenaggio linfatico.

☞ *Suggerimenti per frasi programmatiche positive*:

«Le impressioni mi scivolano addosso senza ferirmi».
«Non perdo di vista il filo conduttore della mia vita».
«Sono un essere felice ricco di qualità individuali».
«Il mio vero nucleo è sereno e intoccabile».

11. ELM
Olmo inglese
Ulmus procera

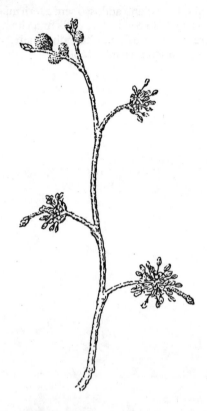

Fiorisce a seconda del tempo tra febbraio e aprile in boschi e macchie. I fiori, piccoli, numerosi e a grappoli, si aprono prima che spunti il fogliame.

■ **Principio**: Elm è in relazione col principio della responsabilità.

Al contrario degli altri fiori di Bach questa energia si manifesta per lo più nella sua forma positiva. Nella forma negativa si mostra come «momenti di debolezza nella vita dei forti», quando persone con capacità e responsabilità superiori alla media sono improvvisamente così sfinite, da avere la sensazione di non essere più all'altezza del loro compito. Per esempio: il fortunato possessore di un'impresa con 40 uomini teme improvvisamente di non riuscire a prendere una semplice decisione d'affari, il che originerebbe conseguenze svantaggiose per l'intero personale. La madre molto ammirata, che per lo più governa brillantemente la sua grande famiglia, pensa improvvisamente di non poter organizzare la cresima della figlia minore. Il sindaco capace non si crede più in grado di conciliare una discordia interna ai partiti e pensa di mettere la sua carica a disposizione di altri, benché sappia che le conseguenze di questo passo sarebbero catastrofiche per la città. Questo sovraffaticamento totale, che fa percepire a chi ne è colpito i suoi problemi in una prospettiva distorta, è sempre uno stato transitorio, e l'ambiente circostante è reso insicuro nel vedere il suo eroe, altrimenti invincibile, ora piccolo e debole.

Gli individui, per i quali lo stato Elm è tipico, hanno insieme alle forti capacità spesso una tensione innata all'altruismo, che li porta a posizioni di piena responsabilità e che normalmente dà anche loro la forza di affrontarle. Ciò porta facilmente nella nostra epoca al fatto che vengano loro affidati sempre più compiti.

Gli individui dal carattere Elm si identificano pienamente, per il bene dell'ambiente circostante, con i loro compiti. Purtroppo, talvolta dimenticano di essere anch'essi individui con bisogni del tutto personali e limiti fisici. Una crisi di sfinimento o lo stato Elm negativo si manifesta molto spesso quando coincidono una pressione professionale crescente ed una fase fisica condizionata costituzionalmente, per esempio all'inizio della menopausa, in fasi bioritmiche negative ecc. Qualche volta anche la più forte motivazione non serve più, il fisico esige i suoi diritti.

E questa debolezza porta ad un temporaneo vacillare del sentimento di stima verso se stessi.

L'equivoco sta nel fatto che l'individuo si identifica troppo in questi momenti con il ruolo dominante della propria personalità, e pensa, agli ordini del suo Io Superiore che lo esorta alla moderazione, di non poter mantenere un buon rendimento. Egli dimentica però che ogni uomo è innanzitutto responsabile di se stesso, che poi deve esaudire le richieste della sua anima, e soltanto poi le aspettative che i terzi addebitano al suo ruolo.

Così si può considerare lo stato di debolezza del tipo-Elm come segnale d'allarme, non lasciandosi trascinare così lontano dalle idee, dalle immaginazioni della personalità, visto che a questo proposito il legame con l'Io Superiore è indebolito. L'individuo può, è vero, spingere in là i limiti della sua capacità di resistenza, ma non può spezzarli sinché vive in un corpo umano.

Esperti di esoterismo definiscono l'energia del fiore Elm molto appropriatamente come il «sale aromatico psicologico». Elm dà forza ai forti nel momento della loro debolezza. Li risveglia dal loro sogno di insufficienza senza forze e li ripone per così dire con entrambi i piedi sul pavimento della realtà. Con ciò la vista per le giuste proporzioni del problema e per le proprie capacità diventa chiara. Si sa di nuovo chi si è e che si riuscirà anche stavolta, da soli o con l'aiuto che arriverà al momento giusto dalla parte giusta.

Sintomi chiave

Si ha la sensazione di non essere all'altezza del proprio compito o della propria responsabilità.

Sintomi nello stato bloccato

■ Ci si sente improvvisamente travolti dai propri compiti.
■ Si ha la sensazione di non poter fronteggiare le responsabilità.
■ Si ha la sensazione di non avere abbastanza forza per riuscire in tutto quel che si deve e che si vuole fare.
■ Fasi di scoraggiamento in caratteri forti ai quali viene a mancare transitoriamente la fiducia in se stessi, altrimenti buona.
■ Sensazione passeggera d'insufficienza per sfinimento.
■ Si dubita momentaneamente delle proprie capacità e della propria attitudine per un determinato compito.
■ Non si sa più da dove iniziare.
■ Ci si è impegnati in una situazione nella quale si è diventati indispensabili e si crede di non potersi più sottrarre alla responsabilità.
■ Si sono accettati, nel corso del tempo, troppi incarichi, che ora non si possono smaltire.

Potenziale nello stato trasformato

■ Atteggiamento di fondo altruistico innato.
■ Si segue la propria vocazione.
■ Predisposizioni superiori alla media, forti capacità.
■ Personalità positiva capace di essere una guida.
■ Alto senso di responsabilità.
■ Sicuro di sé, affidabile.
■ Conscio della sua responsabilità, attendibile.
■ Incrollabile nella convinzione che al momento giusto arriverà l'aiuto necessario.
■ Si è pronti a tentare l'impossibile, quando si tratta di superare grandi difficoltà.
■ Si sanno vedere i problemi nelle loro giuste proporzioni.

Consigli per lo stato Elm

■ Considerare di essere un individuo che ha degli obblighi anche verso se stesso.

■ Prevedere più fasi di riposo nei programmi di lavoro.

■ Per il futuro «concedersi» più spesso qualcosa.

☞ *Suggerimenti per frasi programmatiche positive*:

«Ognuno è caricato di tanta responsabilità, quanta ne può sopportare».

«Sono all'altezza della situazione».

«Ricevo l'aiuto di cui ho bisogno».

12. GENTIAN
Genzianella autunnale
Gentiana amarella

Il fiore, alto 15-20 centimetri, cresce su terreni secchi carsici, sulle rocce e sulla sabbia. I numerosi fiori, tra il blu e il porpora, vengono raccolti tra agosto e ottobre.

Principio: Gentian viene messo in relazione anche in territorio mitteleuropeo con Dio e la fede. L'essenza di Gentian di Bach è legata al concetto della fede, laddove la parola «fede» non deve essere interpretata solo religiosamente. Può trattarsi anche della fede nel senso della vita o in un ordine superiore, in un determinato principio vitale o di una visione del mondo.

Un individuo che ha spesso bisogno di Gentian vorrebbe credere volentieri ma non può. In che cosa consiste il suo errore? Egli vive in un rifiuto inconscio di lasciarsi guidare dal suo Io Superiore e di considerarsi parte di un tutto più grande. Con ciò egli limita le sue possibilità di percezione alla sua limitata personalità e si separa dalla fonte dalla quale la fede può fluire da sola.

Egli pensa di poter dominare tutto col pensiero, analizza, si arrovella, indaga e il risultato di questo incessante lavoro del pensiero appare per lo più deprimente. Purtroppo nello stato Gentian non si comprende che in un simile atteggiamento confuso di attesa gli avvenimenti non possono che svilupparsi confusamente. All'inizio non si riconosce perfettamente che questo atteggiamento danneggia non soltanto se stessi ma anche il tutto più grande.

Il «pessimista di professione» che constata con una certa soddisfazione interiore come tutto vada male intorno a sé e nel mondo, il dubbioso caparbio che non si sente bene se non si crea qualche problema, sono estremi dello stato Gentian negativo.

Come stato transitorio Gentian appare spesso sotto forma di scoraggiamento o di pusillanimità, per esempio nel corso di un processo di guarigione. Quando tutto è andato bene ma interviene improvvisamente una ricaduta, per il paziente crolla il mondo e pensa che ricomincì tutto daccapo.

Il tipico paziente e il tipico medico Gentian dubitano in un angolino del loro cuore naturalmente anche delle essenze di Bach benché vedano la loro efficacia.

Gentian è molto efficace nello stato di umore depresso provocato da un avvenimento preciso. Per esempio dopo la morte del partner, in caso disoccupazione continuata, o di separazione dei coniugi per i figli che vengano contesi tra le due parti, per le persone anziane che vengono allontanate negli ospizi. Dal punto di vista spirituale lo stato Gentian si potrebbe considerare come un blocco a livello mentale. La facoltà di pensiero è forte ma inserita negativamente. Da sano scetticismo diventa un «mettere sempre tutto in questione» obbligato. Individui che discutono i problemi sulla visione del mondo, che combattono con la fede, sono in stato Gentian negativo. «O Dio aiutami nella mia mancanza di fede!», questa preghiera di un mistico cristiano esprime ciò chiaramente.

Gentian aiuta a fortificare la fede, ma non a credere ciecamente, piuttosto a credere nel senso degli scettici positivi.

Chi per mezzo di Gentian è di nuovo riunito al suo Io Superiore può vedere difficoltà senza cadere nella disperazione. Può vivere con i conflitti perché egli, almeno inconsciamente, riconosce che questi nell'intenzione del tutto più grande hanno una funzione necessaria. Non viene più scoraggiato dagli impedimenti perché vede sempre la luce nell'oscurità.

Nella prassi Gentian ha dato buoni risultati nei bambini divenuti ansiosi e scoraggiati a causa di piccoli insuccessi scolastici.

Gentian fa spesso miracoli quando durante una terapia, non importa di quale tipo, intervengono momentanee ricadute. In particolare però Gentian aiuta gli individui che non hanno potuto trovare aiuto nella psicoterapia.

Sintomi chiave

Scettico, dubbioso, pessimista, leggermente scoraggiato.

Sintomi nello stato bloccato

- Si è depressi e si sa il perché.
- Talvolta sembra quasi di assaporare il proprio pessimismo.
- Innanzitutto si è fondamentalmente scettici.
- In ogni situazione si fanno presente i propri dubbi.
- Incertezza per la mancanza di fede e di fiducia.
- Ci si scoraggia e si resta delusi in caso di difficoltà impreviste.
- Momentanee ricadute provocano abbattimento.
- Non si comprende che la propria debolezza di fede è la causa di questo stato.

Potenziale nello stato trasformato

- Capacità di convivere con i conflitti.
- Convinzione che non vi è insuccesso se si è fatto tutto il possibile.
- Certezza che le difficoltà si possano dominare.
- Convinzione incrollabile malgrado le circostanze difficili.
- Si vede «la luce nell'oscurità» e si può comunicare questa sensazione agli altri.

Consigli per lo stato Gentian

- Leggere le biografie di grandi personalità che hanno lottato con problemi simili e li hanno superati.
- Meditare sul tema: «Come lavorano i pensieri».

☞ *Suggerimenti per frasi programmatiche positive*:

«Le avversità sono occasioni per imparare».
«Credo nel successo finale».
«Ogni cosa ha un suo profondo significato».

13. GORSE
Ginestrone
Ulex europaeus

Cresce su terreni pietrosi, su terreni da pascolo aridi e su pianure in-colte. La ginestra spinosa fiorisce tra febbraio e giugno.

Principio: Gorse incarna il potenziale spirituale della speranza. Nello stato Gorse negativo si è perduta la speranza.

Molti individui in stato Gorse negativo hanno sofferto o soffrono di una malattia cronica. Hanno sperimentato molti trattamenti senza successo, e i medici hanno dato loro ad intendere che non sarebbero mai guariti completamente. Ora essi non sanno più andare avanti e «non hanno più voglia». Per amore dei loro cari dicono, è vero, di tentare ancora una volta con questo e quel trattamento, ma interiormente sono da lungo tempo convinti che anche questo non porti a niente.

Questa condizione spirituale è molto pericolosa per due ragioni: primo, perché l'atteggiamento interiore di aspettativa negativa rafforza sempre più il programma erroneo della malattia nel corpo eterico e così lo è ancora sempre più solidamente nel corpo fisico, facendolo stare sempre peggio. Secondo, perché la personalità opera ancora una resistenza passiva. Essa si allontana sempre più dal suo Io Superiore e dal suo processo vitale di sviluppo e diventa così sempre più un cadavere vivente. Le persone in stato Gorse negativo sembrano talvolta bambini cresciuti in uno scantinato, il cui viso giallognolo o cereo con i cerchi neri sotto gli occhi non ha visto un raggio di sole da molto tempo. Una sensitiva descrive lo stato Gorse negativo così come se tra l'anima e la personalità ci fosse una lastra di vetro spessa; ci si vede ma non ci si può più sentire.

L'errore inconscio della personalità risiede anche qui nel rifiuto di riconoscere ed accettare il ruolo dell'Io Superiore come guida del proprio destino. Invece di lasciargli la responsabilità di tutto ciò che accade, e di collaborare fiduciosamente, la personalità pone resistenza al processo di sviluppo in corso. Poiché non tutto va come era deciso, la personalità si arrende interiormente, senza riflettere sulla sensatezza dell'accaduto rifiutato.

Questo atteggiamento puerile si riflette anche nell'aspettativa di alcuni pazienti Gorse che un improvviso intervento dall'esterno possa cambiare tutto, invece di riconoscere che ogni guarigione può venire in fondo soltanto dal proprio interno. Gli individui nello stato Gorse devono imparare a riflettere a fondo sull'evento fatale dello sviluppo della loro malattia.

Dal punto di vista esoterico questi individui sono spesso gravati da un Karma difficile, che essi devono purificare in questa vita attraverso la sofferenza. Se questo significato viene riconosciuto, consciamente o inconsciamente, e affermato, cambia di colpo l'intera situazione spirituale.

Nello stato Gorse positivo l'individuo può creare profondamente dall'interno nuova forza e speranza ed essere quindi così di nuovo pronto a prendere parte al suo destino. Ciò non vuol dire aspettarsi l'impossibile – egli sa che una gamba amputata non può più ricrescere – ma spera fermamente che tutto nel corso del suo destino finisca bene. Così va avanti malgrado tutte le avversità. Impara a soffrire senza lamentarsi, perché ha riconosciuto che un uomo impara meglio attraverso prove ed esperienze dolorose. Così egli vive i successivi stadi della sua malattia serenamente e senza disperare.

In casi di antiche malattie croniche questa nuova disposizione radicale spesso è la scintilla iniziale dell'inizio del vero processo di guarigione.

Anche lo stato Gorse negativo non interviene oggi così massicciamente come sopra descritto. Individui nei quali esso inizia in forma sottile sono riconoscibili dalle frasi che usano: «Ho tentato tutto, ma...». L'assunzione di Gorse segna in tali casi il cambiamento decisivo verso un nuovo ciclo di sviluppo.

Dall'Inghilterra viene riferito che Gorse insieme a Wild Rose porta le propaggini di piante esaurite a fare le radici.

Lo stato Gorse talvolta non è facile da distinguere dallo stato Wild Rose. Una differenza tipica è:

Gorse:	Si lascia ancora convincere, benché disperato, a sperimentare un'altra forma di trattamento.
Wild Rose:	È ancora più passivo e apatico. Non è più disposto a tentare qualcosa di nuovo.

Sintomi chiave

Disperazione totale. Sensazione che la propria vita non abbia più alcuno scopo.

Sintomi nello stato bloccato

■ Il conflitto con il proprio destino ristagna nella propria interiorità.
■ Non si osa più sperare in un mutamento della propria situazione.
■ Depresso, rassegnato, interiormente stanco.
■ Non si ha più la forza di iniziare ancora.
■ Internamente ci si arrende e si aspetta che sopraggiunga qualcosa di miracoloso dall'esterno.
■ Ci si lascia convincere dai parenti contro la propria volontà a nuovi tentativi terapeutici, e si resta delusi alla più piccola ricaduta.
■ Frequentemente: si è avuta una grave malattia cronica nell'infanzia, o si è cresciuti con malati cronici.

Potenziale nello stato trasformato

■ Si è convinti che alla fine tutto andrà bene.
■ Si acquisice un'altra disposizione d'animo verso la propria condizione senza speranza e si può accettare il proprio destino.
■ Si riconosce che la disperazione impedisce il processo di guarigione e che «ognuno deve portare il proprio peso».

■ Si sa che non bisogna mai dire «mai» e si sa sperare.
■ In casi meno gravi: si acquista nuova speranza di guarire, il che è già un primo passo verso la guarigione.

Consigli per lo stato Gorse

■ Riflettere sul Karma e sulla sofferenza.
■ Trascorrere le vacanze al sole e all'aria aperta.

☞ *Suggerimenti per frasi programmatiche positive*:

«Speranza è guarigione».
«Ogni nuovo giorno è una nuova possibilità».
«Partecipo».
«Tutto si sviluppa secondo una legge interna».

14. HEATHER
Brentolo o Brugo
Calluna vulgaris

Da non confondersi con l'erica dai fiori rossi. Fiorisce tra luglio e settembre con fiori lilla, talvolta bianchi, sulle pianure aride, nelle paludi e sulle pianure aperte calcaree.

Principio: Heather è legato alle qualità spirituali d'immedesimazione e della prontezza nel soccorrere. Nello stato Heather negativo ci si circonda soltanto di sé e dei propri problemi. In certi casi si irrita l'ambiente circostante con i problemi.

Questo stato si mostra sia in forme estroverse che introverse. Transitoriamente lo stato Heather è presente in quasi tutti gli individui.
Uno stato Heather cronico estroverso può assumere un carattere

caricaturale e si lascia definire con la frase: «Arrivò, vide e parlò!». Tipi così fatti vengono definiti cortesemente stressanti perché sfiniscono gli altri con il loro fiume di parole. In casi estremi hanno un bisogno quasi insopportabile di esibizione. Hanno bisogno sempre di un pubblico che prenda atto dei loro problemi terribilmente importanti o delle loro azioni eroiche giornaliere. Individui in stato Heather negativo avvertono l'impulso irresistibile di liberarsi delle esperienze che hanno vissuto e di comunicarle. Non passano cinque minuti dal loro arrivo a un party che già hanno monopolizzato il tema del discorso indirizzandolo abilmente sulla loro persona. Se si vuole sfuggire al loro intenso bisogno di comunicare si può agire soltanto «brutalmente», perché il tipo Heather negativo non lascia sfuggire facilmente la sua vittima. Parlando si avvicina, insiste se l'altro indietreggia sino alla parete o lo trattiene per la manica. Altri due caratteri di Bach sono particolarmente in suo potere: Centaury, che non ha la forza di volontà per sottrarsi alle sue richieste pressanti, e Mimulus, troppo pauroso per alzarsi e andarsene.

I caratteri Heather estroversi non si preoccupano per niente in casi estremi né di con chi parlano, né di per quanto tempo possono parlare.

I tipi Heather raccontano minuziosamente ad una donna, conosciuta in sala di attesa, l'intera storia della loro malattia. Se a casa non parlano molto, conducono per ore conversazioni telefoniche nelle quali la maggior parte delle frasi inizia con «io». L'io infatti è l'argomento intorno al quale ruotano il pensiero e gli sforzi nello stato Heather.

All'individuo in stato Heather negativo non viene per niente in mente di interessarsi dei bisogni del suo interlocutore. Come si arriva a una forma così estrema di egocentrismo?

Una specialista inglese di Bach descrive in modo calzante gli individui in stato Heather negativo come «the needy child», il bambino bisognoso, che non ha altra risorsa se non l'attenzione e la dedizione dell'ambiente circostante.

Coloro che hanno spesso bisogno di Heather, provengono frequentemente da famiglie molto fredde e sin dalla più tenera infanzia sono affettivamente denutriti. Dato che il loro giovane io non ricevette la necessaria dedizione e conferma essi dovettero provvedere da se stessi. Questo atteggiamento fu adottato nell'età adulta. Il continuo parlare di un carattere Heather è innanzitutto una misura inconscia della sua personalità di accertarsi e confermarsi di esistere. Essi si ascoltano, gli altri li ascoltano, ergo devono esistere.

Quando i bambini nella fase della formazione del loro io raccontano di se stessi molto e a fiotti, essi vivono una normale forma di stato Heather. Anche la continua apprensione di un individuo Heather e la sua tendenza ad esagerare irrazionalmente e a fare di una mosca un elefante trova la sua spiegazione in questo atteggiamento infantile.

Cosa potrebbe essere peggiore per un «bambino bisognoso» che essere lasciato solo da coloro che lo forniscono di energia? Poiché nello stato Heather negativo anche da adulti si vive dell'energia degli altri, la solitudine è anche qui la cosa peggiore che possa capitare.

È triste che l'ambiente circostante riconosca raramente questo stato infantile; a volte individui in stato Heather si preoccupano di non apparire bisognosi di aiuto ma sovrani e sicuri di sé. Tramite ciò essi raggiungono, con i loro sforzi intensivi per ottenere contatti e riconoscimenti, per lo più esattamente il contrario. La grande pressione con la quale vanno incontro agli altri porta questi necessariamente ad indietreggiare. Nello stato Heather negativo si allontana da se stessi la simpatia alla quale si tende tanto e si rimane, malgrado il pubblico, interiormente soli. L'equivoco, nello stato Heather negativo, sta indubbiamente nel totale distacco della personalità dal suo Io Superiore e dall'unità più grande. Essa non comprende che non si ha bisogno di prendere le cose con la forza e che si arriva da soli a ciò che si desidera se ci si lascia guidare dalle leggi del proprio Io Superiore. Gli uomini nello stato Heather negativo devono diventare, da bambini bisognosi che vogliono soltanto avere, adulti che sanno anche dare. Se essi spostano la propria attenzione ed energie da sé all'ambiente circostante e al tutto, ricevono secondo strane leggi una grande quantità di energia, attenzione, dedizione ed amore.

Gli individui in stato Heather positivo stando all'esperienza sanno ascoltare altrettanto bene di come prima sapevano parlare. Sviluppano una forte capacità di immedesimazione e, se la situazione lo richiede, possono vivere completamente per un altro individuo o essere assorbiti senza posa da un incarico. Creano un'atmosfera di fiducia e di forza nella quale gli altri stanno bene. Lo stato Heather può mostrarsi in molteplici forme. Se si presenta in maniera introversa il forte bisogno di parlare non si manifesta affatto, ma anche se la persona colpita non dice molto, si avverte di fatto come questi venga assorbito dalla sua attività mentale incentrata su se stesso. Ogni uomo vive su di sé transitoriamente lo stato Heather negativo se è assillato da un problema tanto che ad un certo punto deve necessariamente scaricarsi e parlarne con altri. Coloro che fanno le loro prime esperienze di meditazione o di un'altra forma di esercizio mentale, entrano spesso nello stato Heather. Essi vengono confrontati interiormente con tanti aspetti della loro personalità, per loro nuovi, che devono necessariamente esternare queste esperienze per poterle classificare. Per quanto riguarda l'atteggiamento nei confronti dell'ambiente, si potrebbe confondere, secondo una osservazione superficiale, lo stato Heather con lo stato Chicory.

La differenza è:

Chicory: «La madre bisognosa». Vuole mantenere immutati i
                rapporti con l'ambiente circostante. Dà per ricevere.
                Autocompassione.
Heather: «Il bambino bisognoso». Trattiene l'ambiente circo-
                stante per specchiarvi il suo io. Non dà niente. Accen-
                tratore dell'attenzione su se stesso, ma raramente ha
                autocompassione.

Sintomi chiave

*Cerca sempre di attirare l'attenzione su se stesso, è egocentrico, ha sempre
bisogno di pubblico, teme la solitudine, «il bambino bisognoso».*

Sintomi nello stato bloccato

■ I pensieri si incentrano soltanto sui propri problemi e li si prende
molto sul serio.
■ Si segue l'impulso interiore di parlare di sé con chiunque.
■ Nelle occasioni sociali si attira la conversazione su di sé.
■ Con l'intenzione di essere efficaci, si incalzano gli altri, li si tiene fer-
mi per la manica, non li si lascia sfuggire.
■ Si ha bisogno dei propri simili.
■ Non si è capaci di stare soli.
■ Si tende irrazionalmente ad esagerare, si fa di una mosca un ele-
fante.
■ Risulta difficile ascoltare gli altri.
■ Si è completamente assorbiti dai propri pensieri e non si percepisco-
no gli altri.
■ Si dà a vedere di essere esteriormente più forti di quanto si è, non si
desta però alcuna simpatia.
■ Spesso proveniente da una famiglia con carenze affettive, nell'infan-
zia affettivamente denutrito.
■ Spesso all'inizio della strada spirituale, quando si è posti a confronto
con il proprio Io e si devono esternare molte esperienze interiori.

Potenziale nello stato trasformato

■ L'adulto comprensivo con capacità d'immedesimazione.
■ Buon ascoltatore, interlocutore interessato.
■ Ci si sa dedicare agli altri o ad un compito.
■ Si irradia forza e fiducia.

Consigli per lo stato Heather

■ Immaginarsi sempre l'aura degli altri nella quale non si deve entrare per forza.

■ Esercitarsi ad ascoltare; attendere, del tutto consciamente, che qualcosa ci venga incontro da sé.

■ Impegnarsi in problemi sociali: solidarietà nel quartiere, politica del comune e simili.

☞ *Suggerimenti per frasi programmatiche positive*:

«Do e mi viene dato».
«Ciò che è bene per me, mi viene incontro».
«Sono nato in me stesso».
«Mi congiungo al flusso energetico divino».

15. HOLLY
Agrifoglio
Ilex aquifolium

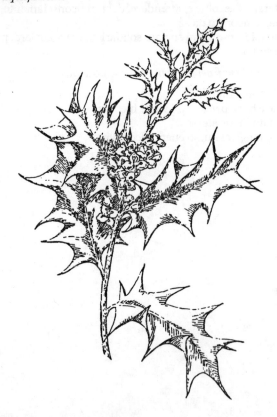

Questo albero o arbusto dalle foglie lucide, sempre verdi, e con le bac-che rosso intenso cresce nei boschi e ai confini delle macchie. I fiori ma-schili e femminili sono bianchi, leggermente profumati e fioriscono solita-mente su piante diverse.

Principio: Holly (da *holy* «sacro») è l'albero di Natale nei paesi anglosassoni, e in quanto tale è il simbolo della rinascita della co-scienza cristiana nel nostro cuore. E non per caso. L'essenza dei fiori di Holly personifica il principio dell'amore divino, onnicom-prensivo, che sostiene il mondo, e che supera la ragione umana. Questo amore, o energia suprema, tramite la quale e nella quale tutti noi viviamo come le foglie su un albero, è il fondamento della nostra vita, la maggiore forza rigeneratrice, propulsiva, la verità eterna, la consapevolezza dell'unità, il positivo in sé. Perciò, nella gamma dei 38 fiori di Bach, Holly assume una posizione centrale.

Qualora questa forza prorompente dell'amore non possa essere accettata, essa si tramuta nel contrario: negazione, separazione e odio. È questa la causa più profonda di tutti gli altri avvenimenti negativi nella vita. Ognuno di noi deve, prima o poi, consciamente o inconsciamente, fare i conti con questo tema centrale dell'umanità.

Se si vive nel fluire dell'amore o «nella grazia», il cuore è aperto e tutti gli uomini diventano fratelli. Se non si accetta l'amore il cuore si indurisce, e si vive dolorosamente isolati, separati, distaccati da tutto. Ma poiché il desiderio di quest'amore è programmato in ogni nostra cellula, nello stato Holly negativo si combatte interiormente per la propria esistenza. Ogni essere umano, quando nasce, desidera dare e ricevere amore. Se ciò gli viene negato, prova una grande delusione e inizia a difendersi da quello di cui evidentemente non può fare parte.

Poiché l'amore è una tale forza prorompente, anche la sua faccia negativa si esprime con sentimenti forti e potenti: gelosia, vendetta, odio, invidia, gioia per i mali altrui. Questi sentimenti, da cui nessun essere umano su questa terra può essere del tutto immune, si manifestano sia in maniera evidente sia a livello inconscio. Nell'ultimo caso possono costituire la base emotiva per lo sviluppo di malattie nervose.

È molto importante rendersi conto, e accettare, questi sentimenti negativi, profondamente umani, in quanto sono lo specchio dei nostri bisogni più interiori. Ci mostrano ciò che non abbiamo, ma che vorremmo avere, e ci danno pertanto la possibilità di occuparcene in maniera adeguata.

L'invidia, ad esempio, è un sentimento molto diffuso, non soltanto nel settore dell'economia, ma anche nei cosiddetti ambienti intellettuali. Con lo sguardo furtivo si sbircia per vedere dove è già arrivato l'altro, se non si trova per caso già «a un livello più alto». Poiché il desiderio di amore e di sviluppo è particolarmente forte nelle persone che percorrono vie spirituali, questi sentimenti si manifestano per forza finché il passo dalla separazione all'unione è compiuto e si è trovato Dio nel proprio cuore.

La gelosia morbosa che cerca ciò che reca danno è l'esempio classico e tragico di un desiderio di amore negativo. Un individuo che è interiormente isolato e distolto dall'amore, ma che ha trovato un altro individuo su cui può proiettare il suo desiderio d'amore, corre il pericolo di perdere nuovamente questo amore, che egli non è in grado di dare, in quanto non lo conosce. Al contrario, egli irradia la propria insicurezza e le paure e, di conseguenza, va incontro a malattie.

Le persone gelose devono riconoscere che nessun amore, che vuole la sua meta soltanto in un altro amore, può realizzarsi per lungo tempo se esso non cerca contemporaneamente e per prima cosa la sua meta nell'unità divina.

Quanto al fenomeno della gelosia bisogna però distinguere tra la forma morbosa e quella cosiddetta normale. Quest'ultima in un rapporto amoroso si manifesterà sempre. Infatti, dove vengono attivati i sentimenti più alti dell'amore viene comunque attivato anche il polo contrario, per dare impulso a un ulteriore sviluppo.

Dovremmo essere scettici, se qualcuno ci dice di essere talmente tollerante da non conoscere la gelosia. La probabilità che si tratti di una persona serena e saggia è molto bassa. Sarebbe piuttosto da presumere che questa persona sia interiormente indurita al punto di non essere più capace di soffrire e di amare.

In questo senso è sempre un'occasione di gioia quando in una diagnosi compare Holly, in quanto indica che la persona possiede un potenziale ancora sviluppabile, che è assetata di amore e che potrà dare amore.

Edward Bach dice: «Holly ci protegge da tutto ciò che non è amore. Holly ci apre il cuore all'amore divino». Siamo in grado di sviluppare la coscienza delle nostre origini, del nostro destino e della nostra appartenenza, e ci rendiamo conto che tutti noi siamo i figli dell'amore. Holly ci aiuta a vivere sempre in uno stato di amore, di bellezza, di solennità e di soddisfazione, in cui si è un tutt'uno con il mondo e si è in grado di percepire e di accettare tutto nel suo ordine naturale, voluto da Dio: in cui si è in grado di godere senza invidia del successo altrui, anche quando ci si trova in una situazione difficile.

La qualità spirituale di Holly è il grande stato umano ideale per eccellenza, verso cui si tende durante la vita sulla terra.

«Amare e sentire il dio della bellezza e della bontà anche nel laido e nel cattivo, e comunque desiderare, pieni di amore, di liberarlo dalla bruttezza e dalla cattiveria, questa è vera virtù e morale» (Sri Aurobindo).

Nella prassi, lo stato Holly negativo non si manifesta con molta evidenza. In un paese in cui il fatto di non parlare dei propri sentimenti è considerato un corretto comportamento, non ci si può evidentemente aspettare altro. Perciò, durante il colloquio diagnostico, bisogna cercare di intuire in chi ci è di fronte uno stato Holly negativo. Le persone che stanno percorrendo un cammino spirituale hanno bisogno di Holly più spesso di quanto si voglia credere. Nello stadio finale di malattie incurabili, Holly può aiutare in maniera provvidenziale.

Dal punto di vista diagnostico, Holly ha, insieme a Wild Oat, una funzione di apertura e di chiarificazione. Se le essenze di fiori finora prescritte non aiutano, o se non si è in nessun modo in grado di capire quale dei tanti stati spirituali negativi individuati prevalga, occorre pensare ad Holly o a Wild Oat: ad Holly, se la persona è attiva e piena di forze, a Wild Oat, se la persona è tranquilla e passiva.

Alcune esperienze quotidiane di Holly: se nasce un secondo figlio, spesso il primogenito tende a sentimenti di gelosia sotto forma di malumore, ostinazione, dispetti, ecc. In questo caso Holly è molto forte.

A volte è necessario distinguere tra Holly e Chicory.

Holly:	Impersona il concetto superiore dell'amore. I sentimenti sono più dolorosi, possono riferirsi non soltanto alle persone, ma anche alle idee.
Chicory:	Impersona un aspetto parziale dell'amore, quello del dare e del prendere. Nei confronti della persona amata prevale l'atteggiamento possessivo di richiesta.

Sintomi chiave

Gelosia, diffidenza, sentimenti di odio e di invidia su tutti i piani.

Sintomi nello stato bloccato

- Il cuore è indurito.
- Si è scontenti, infelici, frustrati, ma non sempre se ne sa il perché.
- Sentimenti di odio e di invidia.
- Gelosia, diffidenza, sentimenti di vendetta.
- Piacere del male altrui.
- Si teme di essere raggirati.
- Equivoci: ci si lamenta degli altri.
- Si immaginano aspetti negativi dietro ogni cosa.
- Si sospetta.
- Spesso ci si sente offesi e feriti.
- Si tende ad abbassare interiormente gli altri.
- Nel caso di bambini: rabbia, collera, ira, malumore fortissimo, improvviso, fino a venire alle mani.

Potenziale nello stato trasformato

- Si vive in armonia interiore e si irradia amore.
- Profonda comprensione per il mondo dei sentimenti umani.
- Si è in grado di godere delle prestazioni e dei successi altrui, anche se non ci si sente bene.
- Si ha il senso dell'ordine del mondo e si è in grado di collocare tutti al giusto posto.

Consigli per lo stato Holly

■ Esercizi yoga, che armonizzano lo spirito.
■ Lavoro di gruppo nelle forme più svariate.
■ Innamorarsi.

☞ *Suggerimenti per frasi programmatiche positive*:

«Amo e sono amato».
«Faccio parte del tutto».
«Apro il mio cuore».
«Mi sento in collegamento col tutto».

16. HONEYSUCKLE
Caprifoglio
Lonicera caprifolium

Questa pianta rampicante forte e profumata cresce nei boschi, ai margini dei boschi e nella brughiera. I fiori, esternamente rossi ed internamente bianchi, diventano gialli durante l'impollinazione. Questa pianta è più rara del Caprifoglio giallo e fiorisce tra luglio ed agosto.

Principio: Honeysuckle tocca il principio della capacità di trasformazione e comunione. Nello stato Honeysuckle negativo non si è abbastanza uniti con il flusso vitale.

In questo caso la difficoltà sta in una scarsa flessibilità interiore. Si tende a trovarsi inerti spiritualmente al posto sbagliato nel momento sbagliato, e non si ha la possibilità di agire. Il classico esempio è quello della moglie di Lot, che si trasforma in una statua di sale, perché, contro l'avvertimento dell'angelo che la guida, segue il proprio passato e si volta verso Sodoma, invece di concentrare le sue forze sul presente, sulla fuga e sulla salvezza.

Nello stato Honeysuckle, la persona vive fisicamente nel presente, ma spiritualmente rimane nel passato. Per superare questo abisso, bisogna impegnare molta energia psichica, che rimane senza effetto come una colonna di fumo, che lascia le ceneri, e che manca nel qui ed ora, dove si scelgono le vie giuste per il futuro.

Nello stato Honeysuckle negativo, la personalità rifiuta di farsi guidare dal proprio Io Superiore secondo le leggi della propria anima, anche quando non se ne rende conto immediatamente. Essa ignora che uno dei principi di vita più importanti è l'evoluzione continua, il flusso continuo. Invece, essa vuole autodeterminare e controllare il proprio sviluppo, soprattutto per ciò che riguarda la sfera dei sentimenti. Il metro che essa adotta è autoincentrato su sé e quindi limitato.

La vedova che mantiene intatto per anni lo studio del marito per far sembrare che si sia appena alzato dalla scrivania, si trova nello stato Honeysuckle. Un esempio più estremo è l'attrice che si crede sempre all'apice della carriera, e a 50 anni porta i vestiti, i capelli e il trucco di una ragazzina, del ruolo con cui un tempo divenne famosa. Ma anche la giovane donna che, dopo la morte del fidanzato, non cerca altri legami affettivi, e l'ingegnere italiano in Africa che soffre di nostalgia di casa, hanno bisogno di Honeysuckle. Così anche la coppia che ha dovuto traslocare in un'altra zona della città e che non riesce a dimenticare il vecchio appartamento. Non c'è da stupirsi che con questo atteggiamento non riesca a formarsi nuove radici e a trovare nuovi amici.

Tutte le persone descritte rifiutano inconsciamente di accettare un nuovo sviluppo. I caratteri Honeysuckle iniziano spesso le frasi con: «Un tempo avevo...» e: «Quando ero ancora...». Ciò dimostra che sono, in un certo senso, incollati al proprio passato, che non hanno ancora assorbito. Non riescono a stabilire un rapporto fluido tra il passato e la situazione attuale, in quanto non riescono, o non vogliono, vedere il passato da tutte le angolazioni. Si fissano esclusivamente su un aspetto, nella maggior parte dei casi sul lato piacevole. «All'epoca fascista, c'era ordine, si costruivano autostrade!» Il lato buio del fascismo non viene considerato e discusso. Così, queste esperienze non possono venir integrate e non se ne può trarre alcun vantaggio per lo sviluppo della personalità.

Il senso di nostalgia è uno stato Honeysuckle. Ci si rifugia in un tempo perduto, per non doversi confrontare col duro presente. Ma non è più attuale, è piuttosto un tentativo di compensazione sentimentale.

Lo stato Honeysuckle è comprensibile, e in un certo senso normale, nel caso di persone anziane che stanno per tirare la somma della loro vita. Soprattutto oggi che le persone anziane vengono sistematicamente escluse dal flusso della vita e delle generazioni, si può capire che essi si ritirino spiritualmente da quest'oggi poco entusiasmante in tempi perduti e migliori. Nello stato Honeysuckle c'è anche il rimpianto di occasioni perdute, di opportunità mal giocate, di speranze non realizzate; un doloroso prendere atto di aver fatto tante cose sbagliate, ma senza sensi di colpa. Honeysuckle aiuta le persone sul letto di morte a staccarsi più facilmente dall'aspetto effimero della vita.

Bach ha scritto di Honeysuckle: «Toglie dalla coscienza tutti i rimpianti e tutti i pensieri del passato. Neutralizza tutte le influenze, i desideri e le nostalgie del passato e ci riporta nel presente».

Nello stato Honeysuckle trasformato si è in contatto vitale con il proprio passato. Si impara dal passato, ma non ci si aggrappa a esso più di tanto. Si è in grado di «lavorare» col passato. In questo senso, gli archeologi, gli storici, gli antiquari si trovano in uno stato Honeysuckle positivo.

Durante il lavoro di gruppo psicologico o durante una sessione di reincarnazione, Honeysuckle può aiutare a ristabilire il legame tra il passato e il presente e operare in modo da far mantenere al passato le giuste dimensioni.

Spesso lo stato Honeysuckle negativo si sviluppa in un periodo piuttosto lungo, ma può anche essere di breve durata, soprattutto nel caso dei bambini. Honeysuckle ha spesso aiutato i bambini nelle colonie o in collegio con nostalgia di casa.

Un'esperienza interessante è il fatto che tante persone che hanno bisogno di Honeysuckle non sono quasi in grado di ricordarsi del proprio passato: inconsciamente viene rimosso ogni tentativo di richiamarlo. Per certi aspetti è possibile confondere lo stato Honeysuckle con lo stato Clematis, in quanto sono caratterizzati dal fatto che la persona non ha alcun interesse per il presente, e non vive nel qui e ora.

La differenza è:

Honeysuckle:	Fugge nel passato e non si aspetta niente di positivo dal presente e dal futuro.
Clematis:	Fugge dal presente nella fantasia e spera in un futuro migliore.

In altre occasioni, è necessario scegliere tra Honeysuckle e Pine:

Honeysuckle:	Rimpianto malinconico.
Pine:	Autentico senso di colpa.

Lo stesso vale per Honeysuckle e Walnut:

Honeysuckle: Un ulteriore sviluppo non può avvenire, perché ci si rifiuta di sfogliare il libro della vita e non si fanno nuove esperienze.

Walnut: Un ulteriore sviluppo non può ancora avvenire, perché la forza non è ancora sufficientemente forte per trasporre una nuova esperienza nell'azione.

Sintomi chiave

Nostalgia, rimpianto di cose passate; incapacità a vivere nel presente; difficoltà ad accettare le novità.

Sintomi nello stato bloccato

■ Ci si riferisce continuamente al passato, sia interiormente, sia nel dialogo con gli altri.

■ Si tende a idealizzare il passato e si vorrebbe che tutte le cose fossero come erano un tempo.

■ Si pensa ai tempi passati con malinconia.

■ Non si riesce ad accettare la perdita di una persona amata (per esempio: genitore, figlio, moglie, marito).

■ Si vive completamente nei propri ricordi.

■ Nostalgia di casa.

■ Si deplorano le opportunità mancate o i sogni irrealizzati.

■ Si ha poco interesse per i problemi attuali, perché la mente vive nel passato.

■ Desiderio di poter ricominciare da capo.

■ Un certo avvenimento passato è ancora presente come «se fosse avvenuto ieri».

■ In certi casi: ricordi infantili particolarmente deboli.

Potenziale nello stato trasformato

■ Si ha un rapporto dialettico con il passato, ma si vive nel presente.

■ Si è imparato dalle esperienze passate, ma non ci si aggrappa più.

■ Si è in grado di salvare il bello del passato e trasporlo nel presente.

■ Si è in grado di far rivivere il passato ad esempio come scrittore, archeologo, storico.

Consigli per lo stato Honeysuckle

■ Spingere la persona ad altri pensieri, farle assumere altre responsabilità, ad esempio: un incarico onorario, un cane, la cura delle piante.

■ Occuparsi dei problemi del presente.
■ Hobby musicali, ad esempio: aerobica, canto, lezioni di chitarra.

☞ *Suggerimenti per frasi programmatiche positive*:

«Tutto fluisce».
«La vita si svolge oggi».
«Ogni giorno è nuovo e appassionante».
«Mi identifico con i miei compiti attuali».

17. HORNBEAM
Carpino bianco
Carpinus betulus

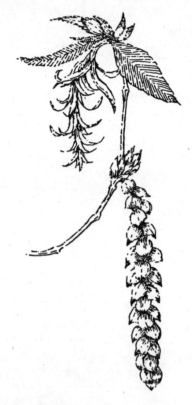

Quest'albero, simile al faggio rosso, ma più piccolo e più verde di questo, cresce da solo o a gruppi nei boschi. I fiori maschi penduli e quelli femminili eretti si aprono in aprile o maggio.

Principio: Hornbeam è collegato con il potenziale spirituale della vivacità interiore e della freschezza spirituale. Nello stato Hornbeam negativo ci si sente stanchi ed esausti, soprattutto mentalmente.

Molti impiegati conoscono la sensazione del lunedì mattina, quando suona la sveglia e ricomincia la grigia quotidianità. Ci si trova davanti a una settimana lavorativa, per la maggior parte prevedibile e uniforme, con relativamente poche reali responsabilità, e molti impegni. Mille piccole cose che bisogna tenere d'occhio, vie gerarchiche da rispettare, procedimenti non portati a termine. Tutto ciò crea una scura montagna e si crede di non avere la forza per sbrigare tutto. Tuttavia, nel corso della giornata, ci si rende conto di essere riusciti a fare tutto in maniera soddisfacente.

La stanchezza Hornbeam è un tipo di esaurimento che si manifesta con un carico unilaterale del livello mentale, parallelamente ad una mancanza di compenso degli altri livelli. Può trattarsi di uno stato passeggero, ma può anche portare a uno stato cronico. In modo passeggero, ad esempio, quando uno studente si è preparato per mesi a un esame, oppure quando un paziente ha dovuto stare a letto per un lungo periodo durante il quale non ha fatto che leggere e fare progetti per il futuro. Una specie di stanchezza mentale lo induce a credere di essere ancora troppo debole per degli esercizi di movimento.

La stanchezza Hornbeam a lungo termine è tipica dell'uomo della società del benessere che vive consumando troppo (ad esempio la televisione) e producendo troppo poco. Egli assorbe più sensazioni di quelle che può elaborare e al mattino si alza con la testa pesante. Quest'uomo contemporaneo semiautomatico vive una vita di routine, in cui anche il tempo libero e le vacanze sono vissute come una specie di obbligo di rendimento interiore. All'esterno sembra che avvengano molte cose, ma all'interno ne avvengono troppo poche. L'elasticità spirituale si allenta.

È molto interessante che la stanchezza Hornbeam sia come svanita nel momento in cui interviene qualcosa di veramente diverso, fuori dal comune, che richiama la persona interessata su un altro piano, e che quindi lo trascina fuori dalla routine.

Il malinteso nello stato Hornbeam negativo sta in una autolimitazione, spesso di segno materialistico, della persona, che si comporta in maniera miope e sorda verso gli impulsi del proprio Io Superiore e si inserisce quindi in automatismi, che le sono più congeniali. In questo modo si limitano sempre più le proprie possibilità di sviluppo e tutto ciò che rende la vita degna di essere vissuta.

Nello stato Hornbeam negativo, il sistema energetico dell'uomo è sbilanciato da una eccessiva esigenza unilaterale del livello mentale con contemporanea poca esigenza di altri livelli. I vari livelli non comunicano a sufficienza, lo scambio di energia è perturbato, lo smaltimento di energia è ridotto. Il risultato non può che essere un deficit energetico.

I sensitivi descrivono le energie del fiore Hornbeam come una doccia fresca sotto la quale i vari livelli energetici si livellano armonicamente. Altri dicono che Hornbeam dia temperamento. La mente diventa più acuta, la sensibilità più vivace; gli impulsi dell'Io Superiore vengono di nuovo captati. In questa maniera si riscopre anche una sana misura per un giusto scambio tra attività e passività. Ritorna la gioia della vita e del lavoro e, con ciò, anche la certezza di avere la forza necessaria per poter fare ciò che si vuole fare.

Nella diagnosi Hornbeam si manifesta spesso insieme a White Chestnut. Alcuni esperti consigliano Hornbeam in forma di compresse per gli occhi stanchi e irritati. Altri lo utilizzano per il trattamento esterno dei tessuti molli. Anche nella riabilitazione dei tossicodipendenti l'azione energetica tonificante di Hornbeam ha dato buoni risultati. Inoltre, Hornbeam è tra le essenze che ridanno forza alle piante deperite.

Riportiamo qui la differenza tra la stanchezza nello stato Hornbeam e quella nello stato Olive:

Hornbeam:	Stanchezza dovuta a una vita sbilanciata, soprattutto a livello mentale.
Olive:	Vera spossatezza a causa di esaurimento su più livelli.

Sintomi chiave

Stanchezza; spossatezza mentale come stato passeggero o prolungato.

Sintomi nello stato bloccato

■ Ci si sente la testa pesante, fisicamente stanchi e spossati.

■ Si ha la sensazione di avere passato la notte in bianco, «sensazione del lunedì mattina».

■ La testa ronza dopo molta televisione, dopo aver letto o studiato troppo e in seguito al sovraccarico dei sensi.

■ Ci si sente aridi e senza forza, mentalmente fiacchi.

■ Si dubita al mattino di poter sopportare il peso della giornata; una volta in movimento, migliora tutto.

■ Non si ha più alcuno slancio.

■ Dopo un lungo periodo di degenza: si crede di non avere ancora abbastanza forza per poter lavorare, benché obiettivamente ciò non sia vero.

■ Si crede di non poter iniziare un lavoro senza stimolanti come caffè, tè o sostanze rinforzanti.

■ Si diventa vivaci quando si viene distratti dalla propria stanchezza paralizzante.

■ La vita è troppo organizzata sin nei minimi particolari e troppo monotona.

■ Stanchezza mentale: ci si alza più stanchi di quando ci si è coricati.

- Bruciore agli occhi o intorno ad essi.
- Mancanza di tono del tessuto connettivo per mancanza di tensione spirituale.
- Spesso in individui che provengono da «vecchie famiglie».

Potenziale nello stato trasformato

- Spirito vivace, mente fresca e chiara, comprensione per la diversità.
- Si è sicuri di padroneggiare il proprio compito, anche se questo appare superiore alle forze.

Consigli per lo stato Hornbeam

- Uscire dalla routine.
- Creare l'equilibrio fisico senza però obbligarsi a un alto rendimento.
- Seguire spontaneamente le idee inaspettate.
- Cambiare lavoro o attività.

☞ *Suggerimenti per frasi programmatiche positive*:

«Il mio intuito è sveglio e fresco».
«Seguo i miei impulsi spontanei».
«Faccio ciò che mi dà gioia. Ciò che faccio mi dà gioia».
«Riesco in tutto facilmente».
«La gioia è saggezza. La saggezza è forza».

18. IMPATIENS
Non-mi-toccare
Impatiens glandulifera

La pianta, carnosa, alta sino a 180 cm, cresce presso i fiumi, le spon-de di canali e su altri terreni umidi e infossati. Fiorisce tra luglio e settem-bre in una tonalità pallida o rosa malva.

Principio: Impatiens è legato alle qualità spirituali della pazienza e della dolcezza d'animo. Nello stato Impatiens negativo si è impa-zienti e si reagisce con un grande sforzo interno nei confronti del-l'ambiente circostante, ad un leggero stimolo.

Poiché nella propria mente tutto fluisce molto velocemente, l'am-biente circostante sembra molto lento. Ci si sente un cavallo da corsa drogato, costretto a tirare l'aratro insieme ad un rozzo cavallo da fatica, e, nolente o volente, il ritmo di vita o di lavoro più lento degli altri è interiormente frustante. Ma questo processo d'adattamento ad un livello di energia inferiore irrita ed esaurisce molta forza nervosa e conduce ad una tensione mentale continua.

Gli individui caratterizzati da Impatiens non sono molto amati come superiori, perché sanno sempre tutto meglio e perché informano di ciò i loro sottoposti sempre poco diplomaticamente: «Lasciate stare, piuttosto che perdere tempo a spiegarlo l'ho già fatto da me!». Agli insegnanti con carattere Impatiens viene molto difficile considerare con indulgenza e pazienza la goffaggine iniziale dei loro allievi: «Date qui, questo mi rende proprio nervoso...!» e già hanno il compito in mano. Volentieri tolgono le parole di bocca ai loro colleghi.

È pericoloso indirizzare a individui in stato Impatiens una pur diplomatica osservazione critica. Come una vampata scatta in alto il livello dell'adrenalina laddove però il loro scoppio d'ira sbollisce altrettanto rapidamente di come è sorto. I capi Impatiens «anticipano le cose» e alcuni pensano di dover sollecitare anche i loro collaboratori a quello che loro considerano un ritmo di lavoro ragionevole.

Quasi tragico a questo proposito è che gli individui in stato Impatiens non sopportano volentieri questo ruolo. Non hanno ambizioni da leader come ad esempio Vine e preferirebbero lavorare per sé da soli e svolgere il lavoro nel loro tempo senza intromissioni dall'esterno. La loro indipendenza è per loro molto importante. I caratteri Impatiens conoscono le loro difficoltà e sono perciò in una condizione equilibrata, aperti ai consigli ragionevoli. Gli individui nello stato Impatiens negativo vanno, a livello mentale, ad un numero di giri più alto della media. Essi vedono più in fretta, sparano le loro frasi come mitraglia, reagiscono fulmineamente, scelgono ad hoc, e sono quindi naturalmente anche esauriti più in fretta. «Ho una tale fame che potrei aggredire qualcuno!» Questa è una citazione standard di una paziente Impatiens tre ore dopo la prima colazione. Il loro umore cangiante li rende riconoscibili anche esternamente. Possono diventare fulmineamente rosso fuoco e di nuovo pallidi. La loro tensione interna nervosa può a volte portare anche a improvvisi spasmi dolorosi in diverse parti del corpo. Iperfunzioni di diverso tipo sono naturalmente frequenti. La loro forte inquietudine interiore li rende anche violenti e quindi potenzialmente soggetti ad incidenti. Malgrado ciò accada loro alla fine meno di quanto si teme, perché con le loro reazioni fulminee evitano molte situazioni critiche.

L'equivoco nello stato Impatiens negativo sta nella troppo grande ostinazione e autolimitazione della personalità. Essa dimentica che ogni uomo è parte di un tutto più grande nel quale alla fine ognuno non ha altra risorsa che l'altro, così come essa non ha altra risorsa che i suoi simili apparentemente incapaci e viceversa. La personalità non osserva nemmeno che persino il più capace ha il compito di mettere il suo maggiore talento al servizio degli altri aiutandoli nel loro sviluppo. Gli individui nello stato Impatiens devono imparare ciò che viene loro più difficile: controllare la propria attività diretta, lasciar accadere le cose, esercitarsi alla pazienza. Ciò è più facile se non si opera partendo dal forte piano mentale ma pensando con il cuore. Gli individui nello stato Impatiens positivo si delineano attraverso una grande compassione, tenerezza e una pazienza d'angelo.

Sono pieni di comprensione per la diversità dei propri simili e sanno mettere diplomaticamente al servizio dei loro simili e del tutto la loro sveltezza, la forza decisionale e l'intelligenza.

Nella prassi Impatiens ha dato buoni risultati anche nella vita familiare di tutti i giorni. I bambini che durante le compere o le visite piagnucolano e hanno accessi d'ira, reagiscono bene e presto ad Impatiens così come anche i genitori che nell'educazione dei propri figli perdono facilmente la calma.

Per lo più lo stato Impatiens non è esteriormente visibile poiché questi individui sono naturalmente estroversi. Se non mostrano il loro stato attraverso le parole lo fanno spesso attraverso i gesti: con le dita, con l'oscillare sulla sedia, ecc. Se lo stato non si manifesta dal punto di vista del movimento, un'eruzione cutanea nervosa, prurito o simili possono riferirsi a Impatiens. Spesso lo stato Impatiens è soltanto la punta dell'iceberg e si risolve soltanto rimuovendo l'atteggiamento erroneo e spiritualmente profondo che vi è legato. Lo stato Impatiens non va confuso con lo stato Vervain.

Impatiens:	Tensione interiore dovuta a frustrazione nervosa perché le cose vanno troppo lentamente. Non si influenzano gli altri se si è lasciati lavorare indisturbati.
Vervain:	Tensione interna per l'impiego eccessivo della forza di volontà. Si tende a «ispirare» gli altri.

Sintomi chiave

Impaziente, facilmente irritabile, eccessivamente teso.

Sintomi nello stato bloccato

■ Tensione mentale a causa di un ritmo interiore alto.
■ Tutto deve scorrere velocemente e senza attrito.
■ Non si sa attendere che le cose si sviluppino.
■ Coloro che lavorano lentamente irritano, frustrano, «fanno diventare pazzi».
■ Impazienti e poco diplomatici con le persone lente.
■ Per impazienza tolgono le parole di bocca agli altri.

- Per impazienza tolgono le cose dalle mani agli altri.
- Si prendono per impazienza decisioni affrettate.
- Si stimolano gli altri alla fretta.
- Lavora meglio da solo al suo ritmo.
- Forte bisogno di indipendenza.
- Si inalbera all'improvviso poi diventa inaccessibile, brusco, ma la rabbia sbollisce all'improvviso.
- Bambini che non sanno rimanere seduti.
- Soggetti ad incidenti a causa della notevole tensione interna, nonostante la rapida capacità di reazione.
- Movimenti della mano nervosi, bambini che non stanno mai fermi.
- Dato che le riserve di forza sono rapidamente esaurite, sono possibili a brevi intervalli stati di sfinimento e di dolori spasmodici di origine nervosa.

Potenziale nello stato trasformato

- Rapidi nella comprensione, nel pensare e nell'agire.
- Interiormente indipendenti.
- Capacità superiore alla media.
- Pazienza, dolcezza.
- Docilità, compassione e comprensione per gli altri.
- Sanno rendere utili diplomaticamente le proprie capacità per la comunità.

Consigli per lo stato Impatiens

- Inspirare profondamente prima di parlare.
- Orientamento della tensione nervosa eccessiva attraverso un'adeguata ginnastica armonizzatrice del corpo: tennis da tavolo o ballare lo step.
- Cura del sonno.
- In casi ostinati: considerare la possibilità di cambiare professione.

☞ *Suggerimenti per frasi programmatiche positive*:

«La mia mente è serena, il mio cuore è sveglio».
«Profondità invece di ritmo».
«Mi calo in ogni situazione».
«Ognuno ha la sua misura».

19. LARCH
Larice
Larix decidua

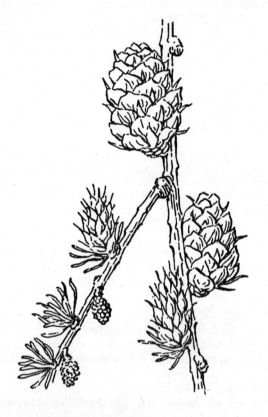

L'albero luminoso, che raggiunge i 30 m d'altezza, cresce preferibil-mente sulle colline e al limitare dei boschi. I fiori, maschili e femminili, crescono sullo stesso albero e si aprono nel periodo in cui gli aghi diventa-no visibili come piccoli ciuffi verde chiaro.

Principio: Larch è associato alla qualità spirituale della fiducia in se stessi. Nello stato Larch negativo ci si sente a priori inferiori agli altri. Non si dubita affatto delle proprie capacità, ma si è irrazio-nalmente e perfettamente convinti della propria incapacità; e sic-come apparentemente si sa perfettamente di non riuscire in deter-minate cose, non si tenta nemmeno. Così ci si preclude ciò che di meglio offre la vita, compresa l'opportunità di imparare, di modificarsi continuamente attraverso le nuove esperienze, di vivere in modo veramente intenso. La vita non si sviluppa, ma si impoverisce. Rimane un senso di scoraggiamento ed una tristezza avvertita a livello inconscio.

L'errore risiede nel fatto che la personalità rimane troppo ancorata ad esperienze negative passate, invece di farsi condurre dal suo Io Superiore fiduciosamente nella consapevolezza che successi e fiaschi sono ugualmente preziosi. Se nella vita di molti uomini diventa un problema riconoscere i propri limiti, nello stato Larch accade esattamente il contrario: determinati limiti vengono accettati a priori come ovvi, anzi perfino presupposti. Ed ogni sviluppo diventa, entro questi limiti, stagnazione.

I caratteri Larch agiscono nei confronti dell'ambiente circostante spesso molto ragionevolmente, e motivano in modo apparentemente del tutto logico perché essi non possono e non vogliono determinate cose: «Come donna non ho nessuna chance per il futuro». «Io non ho un diploma come gli altri». «Lo vorrei, ma so già di non riuscirci».

Le basi di questi autentici complessi d'inferiorità vengono gettate per lo più già nella prima infanzia o ancora prima. Spesso si tratta degli atteggiamenti negativi dei genitori, che il bambino ha assorbito già con il latte materno. Il timore di fallire agisce per così dire con un automatismo inserito, che viene rafforzato da ogni reiterato fallimento e provoca contemporaneamente un nuovo fallimento: un circolo vizioso.

Analogamente alla struttura fine dell'albero, gli individui che hanno spesso bisogno di Larch sono spiritualmente strutturati in modo delicato e non sempre hanno la forza e la capacità decisionale di opporsi interiormente a questo programma negativo. È un peccato, perché per lo più essi sono non solo altrettanto ma persino più capaci di altri.

Un esempio tipico: l'assistente dell'addetto agli acquisti di un grande magazzino, che ha iniziato come segretaria, mostra nel corso degli anni della sua attività di essere più capace ed abile del suo capo. Quando il posto di addetto agli acquisti in un altro reparto rimane libero, i suoi colleghi, in buona fede, le consigliano di presentare la propria candidatura. L'assistente rifiuta con la motivazione che ella possiede soltanto un diploma di segretaria, un argomento insignificante, considerando realisticamente la sua attuale capacità. Contemporaneamente racconta con una certa meraviglia di una sua amica che ha osato fare un simile passo, trovandosi a suo agio. Non sono avvertibili nelle sue parole né invidia (Holly) né amarezza (Willow), ma soltanto una modestia che pare alle sue colleghe inopportuna, una falsa modestia che copre la sua inconscia tendenza verso il proprio sviluppo.

L'energia Larch aiuta le idee fisse autolimitanti della personalità a dissolversi e le capacità inutilizzate a svilupparsi. In qualche modo si possono vedere immediatamente le cose più distese e prendere in considerazione delle alternative. Si prende l'iniziativa con la serena consapevolezza che sia che vada bene, sia che vada male, entrambe le possibilità non sono state sopravvalutate. La frase «non sono capace» viene cancellata dal proprio repertorio. Mediante il fatto che si analizzano le cose sempre più criticamente, ma adesso con un atteggiamento di fondo positivo, si può dominare quasi ogni situazione. Si sviluppa un modo di considerare le cose molto umano, che mantiene il proprio ego nel giusto equilibrio.

Larch si presenta nella prassi sia come rimedio a lungo termine sia per il trattamento di disturbi transitori dell'autoconsapevolezza. Ha dato buoni risultati, per esempio, prima di esami, in processi di separazione, nei quali per lo più l'autoconsapevolezza di entrambi i partner accusa un duro colpo e nei bambini che non hanno fiducia in niente ma che vogliono mandare avanti sempre papà o mamma.

Alcuni medici hanno fatto buone esperienze anche nel trattamento di alcolizzati che «bevono per dimenticare di non essere abili come gli altri», e inoltre nel trattamento di disturbi potenziali, nel caso del tipico timore ossessivo di fallire.

Sintomi chiave

Mancanza di fiducia in se stessi; anticipazione dell'insuccesso; scoraggiamento.

Sintomi nello stato bloccato

- Ci si sente a priori inferiori agli altri.
- Non ci si crede capaci di ciò che si ammira negli altri.
- Ci si attendono fiaschi totali.
- Si è fermamente convinti di non riuscire, e perciò non si tenta nemmeno.
- Si è esitanti e passivi per mancanza di fiducia in se stessi.
- Si adduce il pretesto di una malattia per non dover iniziare qualcosa.
- Falsa modestia dovuta alla mancanza di fiducia in se stessi.
- Ci si sente inutili e impotenti.
- I bambini a scuola si sentono dei falliti.

Potenziale nello stato trasformato

- Si affrontano realisticamente le cose.
- Si resiste anche in caso di contraccolpi.
- Si sanno valutare oggettivamente le situazioni.

Consigli per lo stato Larch

- Comprendere che si sperimenta ciò che si pensa.
- Considerare che gli altri non agiscono meglio.
- Cercare nuove esperienze, persone, hobby, per conoscere sempre nuovi aspetti della propria personalità.

☞ *Suggerimenti per frasi programmatiche positive*:

«Respingo tutte le idee limitanti».
«Posso farlo. Lo voglio. Lo faccio».
«Ogni giorno è un nuovo inizio».
«Sviluppo sempre più la mia personalità».

20. MIMULUS
Mimolo giallo
Mimulus guttatus

La pianta, alta circa 30 cm, diffusa in Inghilterra, fiorisce con i suoi grandi fiori gialli singoli presso i corsi d'acqua, i ruscelli e in luoghi umidi.

Principio: Mimulus è associato alle qualità spirituali del coraggio e della fiducia. Nello stato Mimulus negativo si deve imparare a superare le proprie paure.

Gli individui nello stato Mimulus sono caratterizzati da paure concrete, per esempio: paura di andare sulla scala mobile o del cancro. Sono paure tangibili che si presentano nella vita quotidiana, per esempio paura di ricevere visite o paura dell'iniezione del dentista. Essi non ne parlerebbero spontaneamente, ma se si chiede loro direttamente, emergono sempre nuove ansie e timori: paura di essere soli, paura di discussioni sul denaro per le spese di casa, paura dei serpenti, ecc.

La lista delle paure-Mimulus continua senza fine. Abbraccia praticamente tutte le forme secondarie delle grandi paure originarie che si possono avere nella vita di tutti i giorni.

Alcuni esperti di Bach ritengono che le paure-Mimulus siano i resti della paura originaria del nuovo nato per il mondo ostile e per la vita in un corpo fisico. Il bambino Mimulus, che appena sveglio inizia a piangere senza una ragione evidente, mostra chiaramente quanto sia doloroso immergersi in questa realtà fisica. Gli individui nello stato Mimulus negativo dicono talvolta che l'esistenza in questo mondo è come un peso sulle spalle e avvertono spesso il desiderio di sottrarsene.

Individui fortemente caratterizzati da Mimulus sono strutturati in modo esile o hanno altri tratti esteriori di finezza. Alcuni di essi ricordano delle preziose bambole di porcellana. Altri vengono chiamati con un sorriso affettuoso «cuccioli», perché devono sempre essere un po' protetti. L'elevata sensibilità corporea fa arrossire o balbettare facilmente i caratteri Mimulus in relazione con altri o li fa parlare improvvisamente con voce velata. Altri parlano troppo per il nervosismo, ridono nervosamente o hanno spesso le mani sudate. Ci sono anche individui che sanno controllare bene esteriormente lo stato Mimulus negativo e nella vita di ogni giorno si presentano forti ed estroversi. Solo ad un secondo sguardo si nota che essi in realtà sono sensibili e timidi e nel loro intimo non vorrebbero affatto avere a che fare con questo mondo. Nelle personalità artistiche, nei musicisti, negli attori e nei pittori questo tratto è frequentemente spiccato.

Nello stato Mimulus negativo si hanno «difficoltà con la massa». La propria capacità di sopportazione è inferiore di quella dei propri simili: meno rumore, meno luce accecante, meno cibo, meno attività... Nello stato Mimulus si è ipersensibili a molte manifestazioni dell'ambiente circostante. Ci si sente come un colibrì capitato in uno stormo di cornacchie.

Molti caratteri Mimulus si ammalano se vanno sotto pressione. Hanno allora «il loro mal di testa», «i loro disturbi alla vescica» o simili. I pazienti Mimulus tendono anche a risparmiarsi a lungo per un'eccessiva cautela e a ritardare così il processo di guarigione.

I caratteri Mimulus si comportano, a causa della loro sensibile costituzione, per lo più pacificamente ed anche i loro scoppi d'ira occasionali non sono particolarmente incisivi. Essi agiscono in questi casi sull'ambiente circostante altrettanto minacciosamente di una farfalla infuriata.

Gli individui che hanno molto bisogno di Mimulus devono imparare due cose: primo, a vivere con la loro costituzione sensibile, che è qualcosa di prezioso. Ciò significa anche ritirarsi ogni tanto da questo mondo senza sensi di colpa, per rinnovare le riserve vitali e concedersi un riposo del sistema nervoso. È molto importante che essi abbiano una loro stanza. Le persone caratterizzate da Mimulus dovrebbero inoltre confrontarsi mentalmente con il fenomeno della paura e prendere coscienza del fatto che i loro pensieri angosciosi sono forze che come tutti i pensieri hanno la tendenza a materializzarsi: ogni ulteriore pensiero pauroso rafforza il precedente, lega altre energie e incatena l'individuo sempre più fortemente alle sue paure. «Nel mondo abbiate paura, ma siate fiduciosi, poiché io ho vinto il mondo». In questa frase del Nuovo Testamento si trova la chiave dello stato Mimulus positivo. Sino a quando la personalità si confronta soltanto con parametri terreni, verrà messa a confronto sempre con nuove paure concrete. Se essa però si lascia condurre secondo le leggi della sua anima, abbandona la sua limitatezza terrena e si volge sempre più al grande tutto, può anch'essa vincere il mondo, ovvero le sue paure.

Se si prende Mimulus si ritrova la strada per uscire dalla piena dei timori e delle ansie, per comprendere sempre più la propria essenza. Si riconosce che la paura è essenzialmente un problema spirituale che si può risolvere soltanto con rimedi spirituali, e si impara così ad occuparsene. Si superano le proprie ansie e si possono aiutare con il proprio humour raffinato e la propria comprensione umana individui nella stessa situazione. Se in una diagnosi emerge Mimulus, nel corso del colloquio bisogna dare un nome esplicitamente alla paura concreta momentanea e spiegare che adesso Mimulus aiuterà a dissolvere questo blocco di paura specifico. Se questa paura scompare nel corso del trattamento, stando all'esperienza, con essa si sono dissolte anche altre paure.

La differenza tra le paure per quanto riguarda Rock Rose, Aspen e Mimulus è la seguente:

Rock Rose:	Stati di paura acuti, che sono fondati oggettivamente.
Aspen:	Paure vaghe non definibili.
Mimulus:	Ansie esagerate per determinate cose concrete.

Sintomi chiave

Paure specifiche; timidezza, timore; paura del mondo.

Sintomi nello stato bloccato

- ▨ Timido, riservato, fisicamente molto sensibile.
- ▨ Si affligge per una situazione ma tiene per sé i suoi timori.
- ▨ Singole paure specifiche e «fobie», per esempio: paura del freddo, dell'oscurità, della malattia e del dolore, paura del cancro, della morte,

del futuro, degli incidenti, di perdere la salute o gli amici; paura dei ragni, dei topi, dei cani, ecc. Paura di telefonare, di nuove situazioni, agorafobia, paura di varcare la soglia di un luogo sconosciuto, paura di prendere decisioni, panico, paura di entrare in ospedale e diverse altre.

■ Ipersensibilità di ogni tipo, per esempio: verso il freddo, il rumore, la luce vivida, il parlare ad alta voce, verso i forti odori, l'essere contraddetti, non si vorrebbe essere interpellati, ecc.

■ Interiormente tesi per la paura, talvolta difficoltà nel parlare o balbuzie, riso nervoso, si parla particolarmente molto a causa del nervosismo.

■ Si arrossisce facilmente.

■ Si rimandano le cose per paura.

■ Paura di rimanere soli, malgrado ciò in società si è timidi e nervosi.

■ Si diventa molto ansiosi se si urta in una contraddizione o qualcosa non riesce.

■ La presenza degli altri rende esausti.

■ Si è ipercauti durante la convalescenza: ci si rifiuta ad esempio di muovere di nuovo la gamba rotta dopo che è guarita.

■ Ci si ammala se ci si imbatte nelle cose di cui si ha paura.

■ I neonati piangono al risveglio senza ràgioni evidenti.

■ I bambini si aggrappano paurosamente alla madre: per esempio in riunioni, sulle scale buie, quando vedono cani, ecc.

Potenziale nello stato trasformato

■ Si sono superate le paure e si può andare incontro al mondo con gioiosa calma.

■ Coraggio e comprensione personali per altri in simili condizioni.

Consigli per lo stato Mimulus

■ Accettare di essere diversi e che la sensibilità è qualcosa di prezioso.

■ Crearsi uno spazio fisico libero, una stanza propria, in cui ci si può ritirare per riposarsi.

■ Confrontarsi con il fenomeno della paura sul piano mentale.

■ Curarsi i reni.

☞ *Suggerimenti per frasi programmatiche positive*:

«Ogni difficoltà è una possibilità di crescita».
«Sono già libero dalla mia paura».
«In me sono coraggio e forza».
«Mi affido alla mia guida interiore».

21. MUSTARD
Senape selvatica
Sinapis arvensis

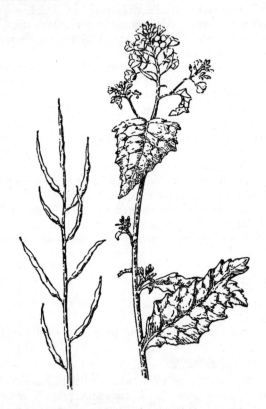

La pianta eretta, alta da 30 a 60 cm, cresce nei campi e sui bordi delle strade. I suoi fiori gialli luminosi sono a forma di ombrello e si sviluppano rapidamente in lunghi baccelli. La fioritura è da maggio a luglio.

Principio: Mustard è associata alle qualità spirituali della serenità e della chiarezza luminosa. Nello stato Mustard negativo si è presi da una malinconia oscura.

Dal cielo sereno scende una profonda malinconia sull'individuo come una nuvola pesante e sconosciuta. Essa lo avvolge e pone uno strato isolante di profondo dolore dell'anima tra questi e il resto del mondo. Improvvisamente si è stranieri nella propria vita; tutti i pensieri sono rivolti a se stessi; le forze sembrano scorrere in un condotto invisibile. Sino a quando questa forza pesante è sull'individuo si è preda vulnerabile di essa e non ci si può liberare con nessun trucco del mondo da questo sogno oscuro, né con la distrazione né con argomenti ragionevoli. Non si può neanche superare esternamente questo stato come per Agrimony. La forza pesante oscura e inerte è più forte. Essa tiene prigionieri sino a che non si rischiara da sé, improvvisamente scompare così come è venuta. Liberi e contenti si respira di nuovo sino all'arrivo della prossima nube. Ogni uomo conosce questi attacchi di dolore universale, irritante per la sua apparente mancanza di logica anche se non in questa forma estrema. Anche lo stato Mustard decorre spesso inosservato su un piano più interno.

Uno stato Mustard estremo è paragonabile al primo grado del quadro patologico della depressione endogena che si manifesta anch'essa gradatamente senza una causa immediatamente riconoscibile. Alcuni dei suoi tipici sintomi fisici concomitanti: rallentamento dei movimenti, debolezza di stimoli e riduzione della facoltà di percezione sono riscontrabili a volte anche nello stato Mustard negativo.

In questo stato appare particolarmente chiaro che ogni stato spirituale negativo è uno stato di calo di frequenza nel quale tutte le funzioni sono ridotte: quelle fisiche, come la lentezza del movimento, quelle spirituali, come la scarsezza di stimoli e quelle mentali, come la riduzione della percezione. Specialmente nello stato Mustard una vibrazione estranea intensa sembra coprire la vibrazione propria della personalità in modo ampio, quasi annullando i suoi rapporti con il mondo.

Non è facile rispondere alla domanda dove stia l'errore nello stato Mustard negativo. Essa si può considerare da diversi punti di vista. L'equivoco non sembra stare soltanto in questa forma di esistenza. Gli esoterici direbbero che le ragioni di uno stato Mustard negativo sono determinate dal Karma e sfuggono agli strati più profondi della stessa anima. Lo stato Mustard è la conseguenza di una caduta da una grande altezza ad una grande profondità. È la caduta di una personalità già altamente sviluppata che ha utilizzato le sue facoltà superiori alla media in relazione alle forze cosmiche in altre forma di esistenza soltanto per il proprio vantaggio limitato, sprecandole. Essa ha sfruttato la sorgente che era in se stessa, che doveva servirle a diventare interamente strumento della propria anima e con ciò una forza divina più grande. Così considerato uno stato Mustard negativo è l'espressione della tristezza dell'anima per il potenziale perduto che la personalità può avvertire solo in un'impotenza dolorosa. Questa esperienza dell'immobilità e della totale separazione della propria anima dalla propria sorgente di vita porta prima o poi la personalità a tendere verso la luce della propria anima per potersene nuovamente nutrire. In modo analogo l'esperienza mostra anche che lo stato Mustard diventa subito più leggero, se lo si accetta interiormente, se consciamente si entra e si passa attraverso la tristezza. Visto così ogni stato Mustard negativo, come Sweet Chestnut, è anche un regalo prezioso che riapre la porta alla profondità dell'anima.

Lo stato Mustard si manifesta spesso prima di passi evolutivi decisivi. Nel corso del proprio sviluppo spirituale quasi ogni individuo attraversa fasi Mustard negative, per conoscere queste oscure energie cosmiche dentro di sé, viverle dolorosamente e trasformarsi. Alcuni individui mostrano di possedere una particolare affinità per queste qualità energetiche e di poterne trasformare in sé più di altre personalità. Dovrebbe essere per loro una consolazione sapere che ogni trasformazione si riflette contemporaneamente anche su tutti gli altri e sul grande Tutto. Nella consapevolezza di avere reso nuovamente un po' più chiaro il nostro pianeta con un oscuro giorno-Mustard essi possono vivere la loro malinconia-Mustard con soddisfazione interiore, perfino con una sorta di serena gioia.

Edward Bach scrisse: «Mustard scaccia l'afflizione e riporta la gioia nella vita». Chi assume Mustard ha la sensazione di risvegliarsi lentamente da un sogno pesante e buio.

Gli individui in stato Mustard positivo possono attraversare i giorni assolati o tetri della loro vita con un sentimento di gioia interiore. È vero che vedono ancora la nube oscura, ma non se ne lasciano più opprimere.

La differenza tra lo stato Mustard e quello Gentian è la seguente:

Mustard:	La tristezza viene e va senza un'apparente connessione interna.
Gentian:	La ragione della tristezza è nota, per esempio climaterio, crisi di mezz'età, perdita di posizione.

La differenza decisiva tra lo stato Mustard e Sweet Chestnut è:

Sweet Chestnut:	È più attivo; si può esprimere la propria profonda disperazione.
Mustard:	È più passivo, sentimentale; non si sa come accade, perché non si possono riconoscere le connessioni con le altre vite.

Sintomi chiave

Periodi di profonda malinconia vanno e vengono improvvisamente senza una causa apparente.

Sintomi nello stato bloccato

- Profonda malinconia, dolore universale.
- Qualcosa di pesante, nero, sconosciuto si abbassa; l'anima si rattrista.
- La tetraggine avvolge dal cielo sereno la personalità come una nube nera.
- Ci si sente esclusi dalla vita normale, tutte le luci sono spente, sensazione da giorno dei morti.
- Non si trova un nesso logico tra questo stato e la vita normale.
- Grave malinconia nella quale il presente viene appena percepito.
- Completamente introverso, prigioniero della tristezza.
- Non si riesce a superare quest'umore nei confronti degli altri.
- Non si riesce a sottrarsi a quest'umore con argomenti ragionevoli.
- Si è in balia di questo sentimento sinché esso improvvisamente sparisce da solo; allora si è come liberati da una prigionia.
- Si teme questo stato perché non lo si può dominare.

Potenziale nello stato trasformato

- Si attraversano con chiarezza, gioia e stabilità interiori i giorni chiari e quelli scuri.

Consigli per lo stato Mustard

- Riconoscere la propria disposizione d'animo, calarcisi completamente, ad esempio ascoltando musica malinconica, sedendosi in riva al mare, contemplando il tramonto.
- Tendere verso la propria anima come un amante.
- Psicoterapia basata sullo studio dei simboli.

☞ *Suggerimenti per frasi programmatiche positive*:

«Sono pieno di gioia».
«Avanzo verso altezze luminose».
«Il mio cuore è leggero e allegro».
«Sono grato per le ore di dolore».

22. OAK
Quercia
Quercus robur

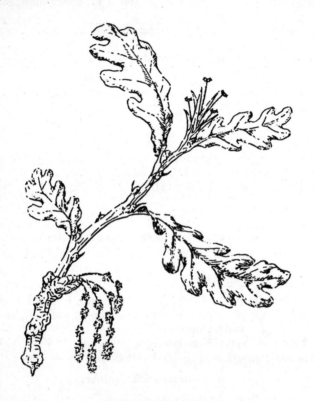

La quercia, uno degli alberi sacri dei nostri antenati, cresce nei boschi, nelle macchie e nei campi. Fiorisce alla fine di aprile o all'inizio di maggio. I fiori maschili e femminili crescono sullo stesso albero.

Principio: Oak è legato al potenziale della forza e della tenacia. Nello stato Oak negativo, questi tratti vengono gestiti con eccessiva rigidità.

Anziché lasciarci guidare dal nostro Io Superiore, attraverso i periodi belli o brutti della vita, la personalità s'irrigidisce erroneamente, per sua scelta, in uno stato di stress continuo. La vita è una lotta senza fine e la persona Oak ha tutte le caratteristiche per vincere: resistenza accanita, tenacia quasi sovrumana,[1] grande forza di volontà, coraggio, fedeltà al dovere, speranza incrollabile, alti ideali.

La personalità Oak ha dimenticato che non sono soltanto il rendimento e le vittorie a rendere la vita degna di essere vissuta, ma anche gli aspetti più delicati, più giocosi o sensibili della vita, dai quali chi sa lottare può trarre la forza per nuove imprese. L'uomo che non si concede queste paure creative avrà una vita interiore sempre più arida e spartana. Egli lavora, ma il suo cuore non vi ha parte. Senza rendersene conto, resistere diventa un fine a se stesso e l'uomo una macchina programmata, che procede con una dinamica propria fino a raggiungere il limite di usura. Allora assistiamo al crollo improvviso, al collasso nervoso, al blocco psichico, che, se la forza di volontà è alta, può manifestarsi sotto forma di stati patologici fisici e di ridotta flessibilità.

Nel linguaggio popolare tedesco, il concetto di «Quercia tedesca» per le persone forti e resistenti dotate di prussiana fedeltà al dovere, non è casuale. È altrettanto interessante ricordare che il «Cancelliere di ferro», Otto von Bismarck, un uomo tipicamente Oak, ne utilizzava l'energia positiva quando, come si racconta, si ritirava spesso per lunghi periodi sotto le gigantesche querce della sua tenuta nella foresta della Sassonia per «ricaricarsi con la forza dei suoi antenati». Le persone che hanno bisogno di Oak sono forti e nodose anche fisicamente.

«È il pilastro della ditta, un vero mulo – l'unico di cui ci si possa veramente fidare!» dice la gente ammirata di una persona con forti tratti Oak. «Non serve a niente lamentarsi, questa cosa va fatta comunque» dicono le persone Oak, e si rimboccano le maniche. Le persone Oak si iscrivono alle scuole serali, anche se debbono frequentarle per anni. Le madri Oak si curano della propria famiglia con dedizione senza sosta. Anche se da anni non hanno più fatto una vacanza, non ammetteranno mai di essere stanche.

Le persone Oak non si risparmiano niente. Sono loro che, in situazioni di crisi, sostengono tutta la famiglia o il popolo intero. Non sempre questa dedizione viene pienamente recepita e degnamente onorata, ma loro stesse ne sono in parte responsabili. Infatti alla forte persona Oak non piace mostrare agli altri una sua parte debole. Per questa errata preoccupazione a volte preferirebbe tagliarsi la lingua anziché chiedere aiuto ad altri.

Le persone Oak hanno pensieri nobili, quasi regali. Decidono autonomamente di aiutare altre persone e niente le rende più insoddisfatte

---

[1] È interessante notare che le querce sono tanto resistenti da sopravvivere anche in località con forti radiazioni, dove altri alberi, come i faggi, muoiono. Poiché tali località attirano facilmente i fulmini durante i temporali, un detto popolare dice: «Devi scansare le querce e cercare i faggi».

e tristi del non poter far fronte agli impegni presi, se si ammalano. Niente le rende più abbattute del deludere le presunte aspettative altrui. Infatti amano sentire la gioia che regalano agli altri riflessa su se stesse – quella gioia che credono di doversi negare durante il duro cammino della loro vita.

Ci si chiederà che cosa spinge una persona a darsi tanto da fare e, al contrario della stragrande maggioranza delle persone, a non perdere mai il coraggio nonostante le avversità. In merito vorremmo fornire una risposta di natura esoterica. I caratteri Oak hanno la certezza profonda della grandezza e dell'immortalità della loro anima e sentono il dovere di tener alta quest'eredità. Spesso la vita presente viene vissuta come una «caduta temporanea dalla grazia», in cui la certezza interiore dell'immortalità dona loro la forza di reggere questa caduta. Le avversità esterne della vita devono servire a rompere gli schemi comportamentali fissi e cristallizzati, costruiti nel corso di tante esistenze e a rendere l'anima nuovamente flessibile e con ciò in grado di crescere.

Non appena la personalità si rende, inconsciamente o consciamente, conto di ciò e, invece di lottare caparbiamente, segue con flessibilità gli impulsi del proprio Io Superiore, il viaggio della vita si compie in maniera più leggera e serena.

Chi assume Oak, si rende presto conto che la pressione interiore si allenta, e che le energie fluiscono più ricche e in un certo senso più libere. Il cuore, il sentimento e la vitalità vengono rivitalizzati. Ritorna l'elemento giocoso e con esso un maggior piacere della vita. Così i compiti possono essere affrontati con un impegno meno forzato. Si è veramente forti come una quercia a cui continuamente affluiscono nuove energie ancestrali dal suo stesso terreno.

Oak ha dato buoni risultati nel corso della convalescenza di lunghe malattie, quando il paziente, nonostante la propria incrollabile volontà, comincia piano piano a stancarsi delle continue cure come, ad esempio, ginnastica, bagni, ecc. In questo caso Oak dà nuovo slancio e crea un nuovo presupposto psicologico per proseguire con serenità.

A volte, Oak viene scambiata con Elm. La sostanziale differenza è la seguente:

Elm: Considera la propria attività come una vocazione. Lo stato di
       affaticamento è passeggero.
Oak: Il proprio lavoro è considerato un dovere. Lo stato di affatica-
       mento può essere cronico.

Il contrario assoluto di Oak è Gorse, che in caso di difficoltà, si rassegna, mentre Oak non si arrende mai.

Sintomi chiave

Scoraggiamento e spossatezza che si traducono in ulteriore accanimento; eccessivo senso del dovere.

Sintomi nello stato bloccato

- Fedele al dovere, affidabile, tenace.
- Tende ad affaticarsi e ad essere poi scoraggiato e avvilito.
- È stanco ed esaurito, ma non si lamenta mai.
- Manifesta una tenacia e una pazienza sovraumana.
- È perseverante nei propri sforzi, e non si arrende mai.
- Combatte coraggiosamente contro tutte le difficoltà, senza temere di perdere.
- Spesso continua a lavorare, spinto dal dovere.
- Porta su di sé il peso degli altri.
- Ignora il bisogno naturale di riposo.
- S'impegna a non mostrare la propria stanchezza e debolezza.
- È ammirato, perché non si lascia vincere.

Potenziale nello stato trasformato

- È tenace, affidabile, solido, forte, ragionevole.
- È in grado di sopportare le difficoltà con grande forza d'animo.
- Vince le avversità della vita con coraggio e tenacia.

Consigli per lo stato Oak

- Queste persone devono essere incoraggiate a non «vedere tutto così severamente» e a fare anche quello che piace: andare in vacanza, riposarsi, dedicarsi a hobby non impegnativi, ecc.
- Esercizi per i muscoli del collo e delle spalle irrigiditi.

☞ *Suggerimenti per frasi programmatiche positive*:

«Il piacere crea la forza».
«Ce la faccio».
«Sono guidato».
«L'energia affluisce in me dalla fonte ancestrale».

23. OLIVE
Ulivo
Olea europea

A seconda del paese, l'ulivo mediterraneo sempreverde fiorisce in mesi primaverili diversi. Le infiorescenze portano da 20 a 30 fiori bianchi e modesti.

Principio: La colomba porta a Noè il ramo di un ulivo come simbolo della fine del diluvio universale e del ritorno della tranquillità e della pace sulla terra. Analogamente, l'essenza del fiore dell'olivo è collegata al principio della rigenerazione, della pace e dell'equilibrio ritrovato.

Si tratta della «calma dopo la tempesta», quando, dopo una lunga e dura prova, il corpo, l'anima e lo spirito sono sfiniti e doloranti: dopo una grave malattia fisica, dopo anni di alimentazione errata o di mancanza di riposo, o anche dopo lunghe cure a un componente della famiglia, dopo anni di attività secondarie a fianco della professione e dopo ogni processo di sviluppo interiore, che ha assorbito energia a livelli inconsci.

In ogni caso, nello stato Olive viene fatta una sorta di dichiarazione negativa. Non si vuole dire o sentire più niente: non si vorrebbe fare altro che dormire e starsene in pace.

Anche il compito più semplice, magari lavare i piatti, diventa di una difficoltà insormontabile. «Sono talmente esausto, che potrei mettermi a piangere». «Sono sfinito, nauseato». «Non m'interessa più neanche il mio hobby». Queste sono le tipiche espressioni nello stato Olive negativo.

Le persone che si trovano spesso in questo stato d'animo devono imparare a gestire correttamente la propria forza vitale, cioè la propria energia. Il loro errore sta nel fatto che si esauriscono completamente a livello della personalità, il cui potenziale di energia è limitato anziché alimentarsi a fonti superiori.

Nei periodi di maggior carico, diventa chiaro che l'uomo non può persistere ai limiti della resistenza personale, ma che deve chiedere energia alle fonti superiori attraverso il suo Io Superiore. Nell'universo c'è sufficiente energia a disposizione, se la si richiede con la giusta consapevolezza, in quanto non si può vivere soltanto con l'aiuto della propria forza. Inoltre, bisogna anche riconoscere e accettare le leggi individuali del proprio corpo.

Ogni stato Olive è un richiamo all'umiltà e allo stesso tempo un richiamo a saper utilizzare la forza vitale, cioè l'energia divina. Ciò è difficile per alcuni, in quanto il sistema d'allarme fisico innescato dal proprio Io Superiore funziona solo a metà.

Le persone nello stato Olive positivo si rendono conto di poter vincere ogni stress con le proprie forze e addirittura con gioia. Agli occhi altrui, esse hanno riserve di forza illimitate. Esse comprendono i piccoli segnali e sanno adattarsi alle varie richieste e situazioni energetiche. Si abbandonano completamente alla loro guida interiore con la consapevolezza che le necessarie forze affluiranno loro dall'universo, nel momento in cui ne avranno bisogno.

Nello stato Olive negativo si presta grande attenzione anche all'aspetto fisico. Il fatto che l'energia non fluisca bene nel sistema si manifesta spesso anche con funzioni ridotte del corpo, ad esempio nella modifica della quantità di ossigeno nel sangue, nella ridotta funzione renale, nella flora batterica intestinale, ecc. Lo stato Olive deve essere esaminato e curato a fondo anche sul piano fisico. Anche nel caso di gravi malattie fisiche, l'Olive è sempre di grande aiuto, in quanto tonifica il corpo e l'anima. Olive, secondo le esperienze dei terapeuti, insieme ad altri rimedi, dà buoni risultati anche nell'alcolismo.

La differenza tra Olive e Hornbeam:

Olive:	L'esaurimento totale dell'anima, dello spirito e del corpo.
Hornbeam:	L'esaurimento è prevalentemente cerebrale. Già al mattino si pensa di non farcela. Ma nel corso della giornata ci si rende conto che si è in grado di continuare.

Sintomi chiave

Esaurimento completo, estrema stanchezza del corpo e dell'anima.

Sintomi nello stato bloccato

- Dichiarazione: «Tutto è troppo».
- Stanchezza dopo un lungo periodo di stress o dopo una lunga malattia fisica.
- Ci si sente completamente esauriti, sfiniti.
- Si ha bisogno di molto sonno.
- Non si riesce a intraprendere niente, non si ha voglia di fare niente.
- Profonda stanchezza interiore a seguito di lunghe battaglie e mutamenti interiori, che hanno richiesto molta energia psichica.
- Esaurimento a seguito di lunghi sacrifici nei confronti di una persona malata.
- Non si riesce a gestire la propria energia vitale.
- Fasi alterne di grande rendimento e di esaurimento estremo.

Potenziale nello stato trasformato

- Grande forza e vitalità.
- Si dispone di riserve energetiche apparentemente illimitate.
- Durante le fasi pesanti, ci si affida completamente alla propria guida interiore, per poter affrontare le maggiori fatiche con vitalità e buon umore.

Consigli per lo stato Olive

- Interessarsi del tema «energia», «Prana», ecc.
- Esercizi yoga dosati, che servono all'armonizzazione del sistema energetico.
- Dormire molto.

■ Riposo all'aria aperta, nei boschi.
■ Cibo ricco di energie eteriche: ad esempio cereali, verdura, frutta.

☞ *Suggerimenti per frasi programmatiche positive*:

«Richiedo la forza per eseguire il mio compito».
«Sento affluire in me la forza cosmica».
«Accetto le mie esigenze fisiche».

24. PINE
Pino silvestre
Pinus sylvestris

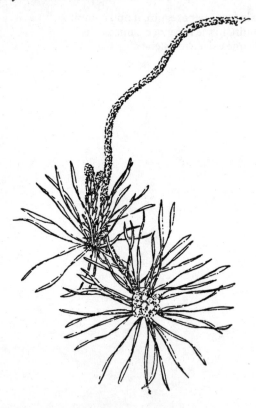

Questo albero slanciato dalla corteccia bruno-rossiccia in basso e arancio-bruna in alto, che può arrivare fino a 30 metri, cresce nei boschi e nei terreni sabbiosi delle brughiere. I fiori maschili e femminili sono riccamente coperti di polline giallo.

Principio: Pine è collegato alle qualità spirituali del pentimento e del perdono. Nello stato Pine negativo, si tende a persistere tenacemente nella propria colpa.

Può trattarsi di un senso di colpa di origine recente, magari perché ci si è dimenticati di chiudere la finestra e il canarino è volato via. Ma può anche trattarsi di sensi di colpa archetipici, inconsci e remoti, risalenti fino al peccato originale, cioè alla colpa di Eva, che dette la mela ad Adamo. Pine è uno dei principali stati esistenziali dello spirito umano, e non sempre è facile constatarlo nel prossimo. Uno stato Pine inconscio si tradisce spesso con espressioni inconsce, colorate di colpa, come: «Non mi perdonerò mai di essere stato così disattento», oppure «Mi scusi, se mi siedo», oppure «Sì, lo so, è colpa mia, se questo ragazzo è così vivace...», oppure «In fondo, i miei genitori volevano una figlia, e hanno dovuto per forza accettare un figlio».

Nel caso di persone dai forti caratteri Pine, spesso tutta la sensazione vitale è intrisa di colpa, e di conseguenza il fisico è spesso affaticato ed esausto. Nella vita delle persone con carattere Pine, l'espressione «gioia di vivere» è scritta in lettere minuscole. Fanno parte di quelle persone che, pur riuscendo a raggiungere ottimi risultati, non sono mai del tutto soddisfatte di se stesse, e interiormente si rimproverano di non essersi date da fare ancora di più. Nello stato Pine negativo, si esige più da se stessi che dagli altri, e quando le aspettative vanno deluse ci si autoaccusa.

Un altro tratto tipico dello stato Pine è quello di attribuirsi la colpa degli errori altrui e di sentirsi corresponsabile. Così, ci si sente colpevoli, ad esempio, quando si è costretti a chiedere al vicino di abbassare il volume della radio. Spesso i bambini Pine sono i capri espiatori di tutta la classe e si fanno punire senza protestare anche se non hanno colpe. Quando un carattere Pine si ammala o è stanco, egli chiede scusa a tutti. Se dal fornaio ci sono cinque persone, ma solo quattro pani, sarà sempre il tipo Pine a tirarsi indietro, perché interiormente si sentirebbe colpevole se una delle altre persone non riuscisse ad averne.

Un uomo nello stato Pine negativo sembra scusarsi interiormente per il semplice fatto di esistere – forse perché nel suo io profondo non è convinto di meritarsi di vivere. Così spesso si percepisce un atteggiamento base infantile e angosciato, intriso di dogmatismi e di comandamenti e divieti: «Devi lavorare». «Non devi desiderare il sesso». Il buon Dio vede tutto. Perciò, in fondo non si meritano che punizioni e penitenze, forti e dolorose, occhio per occhio, dente per dente.

E se dall'alto non arriva la punizione, ci si punisce da soli. Per questo, tante persone nello stato Pine negativo portano la propria croce da soli. A volte affermano di alleviare il Karma altrui. Alcune persone con caratteristiche Pine hanno un bisogno masochistico di sacrificarsi e si puniscono, ad esempio, per tutta la vita accanto a un partner che non ha riguardi per loro, senza riuscire a vedere la causa interiore di quest'atteggiamento. Danno amore, o ciò che pensano che sia amore, senza chiedere amore per se stessi. È questo un errore tragico e letale della personalità.

Quando la personalità stessa si esclude dall'amore, dal flusso della vita, l'energia divina non può fluire in essa. Così facendo, non solo spezza la propria vitalità, ma agisce anche contro l'unità, contro l'intero creato. Con i suoi programmi colpevolizzanti ed autolesionistici, essa irrita e danneggia tutto il mondo. Anche qui, la causa di questo atteggiamento sta nel concetto errato di personalità, di bene e di male, e che si arroga il diritto di giudicare da sola, anziché accettare ciò che essa assimila attraverso la guida del suo Io Superiore.

Nello stato Pine negativo, ci si deve rendere conto di che cosa sia l'uomo nel più profondo dell'essere e dell'assurdità del porsi il problema del diritto di vivere. Si deve accettare che l'uomo, contrariamente alla sua anima perfetta, è un essere imperfetto, e che non può compiere alcun progresso senza passare attraverso errori e sconfitte. Sono proprio i conflitti provocati da questi errori che forniscono all'uomo l'energia necessaria per un ulteriore sviluppo. Quindi, egli commetterà sempre degli errori – e saranno proprio questi errori a portarlo più vicino alla sua anima e a Dio. Allora perché dovrebbe autoaccusarsi? Chi si aggrappa ai propri errori e non è in grado di amarsi e di perdonarsi, non sarà in grado di amare e di perdonare il prossimo. Allora che senso hanno i rapporti umani?

Grazie a Pine, si può iniziare a capire il verso significato del concetto cristiano di redenzione. Si è in grado di accettare il fatto che nessun essere umano è irrimediabilmente colpevole, in quanto la sua colpa è già stata perdonata attraverso il sacrificio simbolico sulla croce, prima ancora di nascere. Tutto ciò che egli deve fare è dire di sì. Nello stato Pine positivo, si percepisce che i tempi del Dio punitivo di Mosè e dei rigidi comandamenti sono passati, che non c'è bisogno di essere puniti, ma che ciascuno può avvicinarsi alla propria redenzione, nella misura in cui è in grado di avvertire un autentico e puro pentimento.

Alle persone in grado di trasformare un pesante stato Pine negativo affluisce molta energia, che le mette in grado di aiutare coloro che hanno gli stessi problemi, attraverso colloqui pazienti, attraverso lo scambio di esperienze, ma anche semplicemente grazie all'energia che emanano, alla loro presenza.

In pratica, Pine è spesso affine a Willow o ad Holly. Diamo qui la differenza tra la sensazione di impurità nello stato Crab Apple e i sensi di colpa nello stato Pine.

Pine:	Si appropria dei suoi sensi di colpa e vi si aggrappa. Deve abbandonarli.
Crab Apple:	Si sente impuro e sporco, ma non si assume la responsabilità interiore di questo stato. Vorrebbe abbandonarlo al più presto.

Sintomi chiave

Autoaccuse, sensi di colpa, mancanza di coraggio.

Sintomi nello stato bloccato

- ■ Nei discorsi si ricorre spesso a espressioni di scusa.
- ■ Non è in grado di perdonarsi, tende ad assumersi delle responsabilità.
- ■ Ci si sente la coscienza sporca.
- ■ Ci si sente responsabili per le colpe altrui.
- ■ Si tende a chiedere troppo a se stessi – più che gli altri – e ci si sente colpevoli quando non si riesce a far tutto.
- ■ Anche in caso di successo, ci si accusa internamente di non aver fatto meglio alcune cose.
- ■ Si considerano più i propri limiti che le proprie possibilità.
- ■ Ci si fa del male, autolesionisticamente, per il concetto negativo che si ha di se stessi.
- ■ Si lavora in modo ipercoscienzioso e ci si espone quindi facilmente a stress emotivi.
- ■ Ci si sente privi di valore, inferiori agli altri, come un cane che si aspetti delle percosse.
- ■ Ci si scusa di essere ammalati, depressi o stanchi.
- ■ Dentro di sé ci si sente vigliacchi.
- ■ Si fa fatica ad accettare le cose, perché si è convinti di non aver meritato niente.
- ■ Ci si sente colpevoli quando si è costretti a dire ad altri chiaramente la propria opinione.
- ■ Ci si concede poco, e si tende a tirarsi indietro.
- ■ Si crede di non meritare l'amore. Dentro di sé ci si nega il diritto dell'esistenza: «Scusatemi se sono nato».
- ■ Spesso si ha un atteggiamento di base infantile e ansioso.
- ■ A volte c'è una spinta al sacrificio di matrice masochistica.
- ■ Autodeprezzamento. Narcisismo in negativo.
- ■ Spesso si hanno concetti inconsci, di matrice fortemente religiosa, del bene e del male, della sessualità come peccato, pensieri del peccato originale, ecc.

Potenziale nello stato trasformato

- ■ Ci si rende conto degli errori compiuti e si accettano, ma senza aggrapparvisi.
- ■ Si distingue fra penitenza e colpa. Riesce a perdonarsi e a dimenticare.

■ Si ha una profonda comprensione per l'uomo, soprattutto per i suoi sentimenti. Si tende ad assumersi i pesi altrui, ma solamente se ciò ha un senso.

■ Si ha una grande pazienza, umiltà, modestia interiore.

■ Si ha un'autentica comprensione del concetto cristiano della redenzione.

Consigli per lo stato Pine

■ Accettarsi, nella consapevolezza che ogni uomo ha meritato l'amore e che la sua colpa gli è già stata perdonata.

■ Esercizi yoga per l'unione del Chakra della tiroide (principio del Buddha) con il terzo occhio (Mosè) e il Chakra del cuore (Gesù).

■ Cercar di capire quando ci si chiede troppo e ci si impongono mete irrealizzabili.

■ Esercizi fisici al mattino, per crearsi delle riserve vitali per la giornata.

☞ *Suggerimenti per frasi programmatiche positive*:

«Mi amo così come sono».

«Mi perdono, perché mi è stato perdonato da tempo».

«Sono nato e già redento».

«Ogni errore è un passo verso Dio».

«Mi abbandono alla mia guida interiore».

25. RED CHESTNUT
Ippocastano rosso
Aesculus carnea

*Quest'albero è più delicato e meno robusto dell'ippocastano bianco;
lo si trova spesso al margine dei viali alberati. Fiorisce alla fine di marzo o
all'inizio di giugno, con fiori di colore rosa intenso sopra grandi infiorescenze di forma piramidale.*

Principio: Red Chestnut è collegato ai potenziali spirituali del-
l'aiuto e dell'amore del prossimo. Caratteristico dello stato Red
Chestnut è un forte collegamento energetico interindividuale.

Le persone che hanno spesso bisogno di Red Chestnut sono in
grado di immedesimarsi facilmente negli altri e hanno una grande capacità di proiezione, che riescono a trasmettere. Le persone a cui ten-

gono, i parenti, i figli, gli amici, lo possono confermare. I pazienti Red Chestnut si prendono cura del prossimo in maniera apparentemente altruistica e temono sempre il peggio. Sono i padri che di notte non riescono ad addormentarsi se la figlia non è tornata sana e salva dal cinema. Sono le madri agitate fino a quando i figli adulti non telefonano a notte fonda dal luogo di villeggiatura, per dire di essere arrivati senza incidenti. Sono le nonne alle quali sembra fermarsi il cuore se pensano al nipote che deve attraversare da solo una strada dove il traffico è intenso.

I caratteri Red Chestnut soffrono per chi amano e pensano che gli altri non se ne accorgano. Essi dimenticano che con ciò non nuociono soltanto a se stessi, ma anche a coloro dei quali si preoccupano. E c'è addirittura il pericolo che attirino energeticamente proprio quello di cui hanno paura per gli altri. Bach raccontò di avere avvertito, come dolori fisici acuti, la preoccupazione dei suoi collaboratori nei suoi confronti, in occasione di un incidente.

Si potrebbe definire lo stato Red Chestnut anche come un rapporto simbiotico sul tipo di quello esistente, ad esempio, tra la madre e il figlio neonato. Per sopravvivere, il neonato è completamente dipendente dalla madre, ma anche questa vive emotivamente attraverso il figlio. Questa unione profonda dura a volte troppo a lungo. Il cordone ombelicale spirituale non viene reciso del tutto o non lo è affatto.

Lo svantaggio per entrambi è che il loro processo di crescita viene rallentato, in quanto, per poter funzionare, uno stato simbiotico deve essere mantenuto in equilibrio. Se uno dei due partner fa un tentativo di staccarsi, automaticamente anche l'altro ne è coinvolto.

Dall'Inghilterra ci viene raccontato il caso di una madre divorziata e del figlio sedicenne sofferente di depressione: nel corso della terapia, la madre si rese conto di «usare» il figlio per i propri bisogni emotivi. Poiché il figlio lo avvertiva a livello inconscio, si era ritirato sempre più dalla realtà in un proprio mondo fantastico.

Questa donna assunse del Red Chestnut: dopo pochi giorni il figlio ebbe una crisi di depressione violenta. Ma in seguito accettò di sottoporsi a una terapia, cosa che aveva rifiutato per anni. Tramite Red Chestnut, la madre fu in grado di allentare il rapporto simbiotico e, nello stesso tempo, anche il figlio fu in grado di affrontare le proprie esigenze psichiche.

Esistono rapporti simbiotici analoghi anche nelle coppie, soprattutto quando sono in gioco forti proiezioni parentali, ad esempio quando la donna proietta la sua problematica paterna sul marito. A volte esistono anche rapporti simbiotici tra due persone, una delle quali ha da tempo abbandonato il proprio corpo fisico, ad esempio tra il padre morto in guerra e il figlio.

In fondo, lo stato Red Chestnut non è altro che un «collegamento sul piano sbagliato», a un livello soggettivo, emozionale, angosciato della personalità, anziché a un livello spirituale tra l'Io Superiore di due persone. Nello stato Red Chestnut negativo, il concetto dell'amore verso il prossimo è egoisticamente interpretato. Inconsciamente, si utilizza il prossimo come oggetto sul quale proiettare i propri pensieri e le proprie insicurezze. Occorre rendersi conto del fatto che «le cose sono sempre diverse da come si crede», e che, anche con gli sforzi maggiori, non si riesce ad allontanare da un'altra persona ciò che il destino ha previsto per essa.

«L'uomo propone, Dio dispone. Che l'altro stia bene. Voglio sperare il meglio per lui. Egli troverà la strada giusta».

Chi pensa così, vive la parte positiva dell'energia Red Chestnut e può constatare con gioia come egli stesso e le persone che ama stiano sempre meglio.

Alcuni terapeuti raccontano che Red Chestnut serve spesso a chi, per ragioni di lavoro, è costretto a identificarsi fortemente con altre persone, ad esempio le ostetriche o gli assistenti sociali.

Red Chestnut si afferma inoltre nella fase di svezzamento. Red Chestnut può essere combinato con White Chestnut, nel caso in cui non si riesca in alcun modo a non preoccuparsi per gli altri. Quando le persone sembrano «ossessionate» da voglie e bramosie, Red Chestnut può avere un ruolo importante.

Sintomi chiave

Preoccupazioni e paure esagerate per gli altri.

Sintomi nello stato bloccato

■ Forte legame interiore con le persone amate.
■ Si è preoccupati per la sicurezza altrui (figli, partner), contemporaneamente non si ha nessuna paura per se stessi.
■ Si è preoccupati per i problemi altrui.
■ Si vive la vita altrui come se fosse la propria.
■ Si pensa che agli altri possa essere successo qualcosa se ritardano.
■ Si teme che dietro un malessere altrui possa nascondersi una terribile malattia.
■ Quando si ci si rende conto che qualcosa è «appena andato bene», si pensa a quante cose terribili avrebbero potuto accadere.
■ Non si è mai riusciti a tagliare il cordone ombelicale.
■ I genitori esortano i loro figli alla prudenza.

Potenziale nello stato trasformato

■ In situazioni difficili, capacità di irradiare pensieri positivi di sicurezza, salute e coraggio.
■ Si è in grado di influenzare e guidare positivamente altre persone, anche da lontano.
■ In situazioni di emergenza, si mantiene la superiorità spirituale e fisica.

Consigli per lo stato Red Chestnut

■ Occuparsi della «forza del pensiero», della cura spirituale, training della consapevolezza, ecc.
■ Allenarsi a contrapporre immediatamente l'immagine positiva contraria, quando si presenta un pensiero negativo. Cioè, non pensare subito al peggio che teoricamente potrebbe capitare (incidente di macchina), ma visualizzare ciò che è augurabile (ritorno felice).
■ Ci si può anche immaginare la persona per la quale ci si preoccupa contornata da un'aura di luce bianca.

☞ *Suggerimenti per frasi programmatiche positive*:

«L'altro è nelle mani di Dio».
«Irradio calma, pace e ottimismo».
«Tutto progredisce positivamente».
«Sono una personalità autonoma».

26. ROCK ROSE
Eliantemo
Helianthemum nummularium

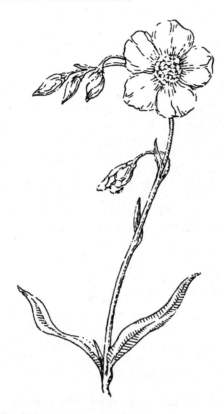

Questo rampicante folto e ramificato cresce in terreni calcarei, nella ghiaia e sulle colline di calcare cretaceo coperte di erba. I fiori gialli brillanti compaiono tra giugno e settembre, di solito con uno o due fiori.

Principio: Rock Rose è collegato alle qualità spirituali del coraggio e della perseveranza. Rock Rose è uno dei fiori importanti nel pronto soccorso.

Nello stato Rock Rose negativo, la personalità è spiritualmente e spesso anche fisicamente minacciata in modo acuto e fino al limite. Sono le situazioni di emergenza e di crisi, come incidenti, malattie improvvise, catastrofi naturali, nelle quali l'uomo non è in grado di fruire del flusso elementare di energia. Tutto si sviluppa troppo velocemente e in una direzione sbagliata. La personalità è divisa dal proprio Io Superiore da mondi interi e rimane ferma nei suoi confini mortali, anziché affidarsi alla guida della propria anima, dalla quale potrebbe attingere le forze con le quali superare la situazione.

Un fuggiasco attraversa il confine. Il terreno è minato. Inoltre dei fari illuminano tutta la zona. Improvvisamente egli sente abbaiare dei canti dietro di sé. L'hanno scoperto? Il cuore gli batte all'impazzata, è terrorizzato e, come una creatura inseguita a morte, corre e corre per salvarsi la vita...

Questo è l'esempio limite di uno stato Rock Rose, che è comunque sempre portato al dramma, anche quando le cose non sono poi tanto disperate. In ogni caso, c'è una situazione spirituale di emergenza acuta, un primo livello d'allarme. Se è un problema fisico, ci si affretta a chiamare un medico. In questi casi la «vittima» è quasi folle di paura. Non vede, non sente, non riesce più a parlare. Rimane solo il panico puro, l'angoscia nuda. Un'improvvisa grave malattia, che fa temere il peggio, richiede Rock Rose – per il malato, ma anche per i parenti.

I bambini che di notte si svegliano da un incubo gridando e piangendo, dovrebbero assumere Rock Rose a piccoli sorsi, finché si siano a poco a poco ripresi. Anche chi è sfuggito di misura a un incidente di macchina o altro e che ha ancora la paura nel corpo si trova in uno stato Rock Rose negativo.

Alcuni descrivono questo stato come il famoso pugno nello stomaco, in quanto il plesso solare viene sovraccaricato. Troppe cose accadono e troppo in fretta e il sistema nervoso centrale non riesce a smaltirle. I sensitivi affermano che il chakra del plesso solare «s'indurisce in uno stato troppo aperto». In questo caso, alcuni percepiscono il plesso solare come un «buco aperto e dolorante», oppure come «un mattone nello stomaco».

Nello stato Rock Rose ci si sente inermi di fronte alla violenza degli elementi. Si ha una paura folle. Queste emanazioni angosciose si riversano su tutta l'aura, come descrivono efficacemente tanti sensitivi.

L'energia Rock Rose libera la personalità dalla sua paralisi d'angoscia e fa rioscillare il pendolo dallo stato negativo nello stato positivo.[1] L'angoscia egocentrica diventa coraggio, spesso addirittura eroismo, che nei casi limite dimentica il proprio io per il benessere altrui.

È il coraggio che consente a una madre di fermare con un solo gesto della mano una macchina che sta per investire il figlio imprudente.

---

[1] È interessante notare che i fiori Rock Rose sono di un giallo particolarmente brillante. Giallo è il colore dei fiori che sono in grado di accumulare il massimo calore solare.

È l'eroismo che fa combattere e vincere i partigiani contro la strapotenza di un'armata nemica. Rock Rose può mobilitare forze gigantesche, che trasformano un uomo in un eroe. Sigfrido e Giovanna d'Arco sono simboli Rock Rose positivi.

Per la sua stessa natura, Rock Rose si manifesta come uno stato transitorio. Rock Rose è indicato più spesso nei bambini, spiritualmente meno stabili degli adulti. Ma anche tra gli adulti si trovano autentici tipi Rock Rose, che esteriormente non sembrano particolarmente angosciati. Spesso, queste persone nascono con un sistema nervoso centrale già molto debole e a volte anche con le ghiandole surrenali debolmente sviluppate. Le loro riserve di forza si esauriscono velocemente; spesso il loro sistema vegetativo è labile. Fra i loro antenati vi sono spesso persone alcolizzate.

Nelle persone che si sottopongono a discipline spirituali si possono verificare stati Rock Rose quando, nel corso del loro sviluppo, si trovano improvvisamente ad affrontare il buio archetipico. Un medico inglese consiglia Rock Rose come misura collaterale nel trattamento convenzionale dell'insolazione e dei colpi di calore.

Alcuni all'inizio hanno difficoltà a distinguere tra Rock Rose e Star of Bethlehem. Ecco la differenza:

Rock Rose:	Si tratta sempre di uno stato acuto e spesso passeggero, in cui è necessario agire immediatamente. La paura è l'elemento centrale.
Star of Bethlehem:	Si tratta delle conseguenze latenti di un trauma spirituale, che è stato rimosso nell'inconscio. In uno stato Star of Bethlehem puro non si ha paura, ma piuttosto una sorta di intontimento triste.

Nel dubbio, si ricorra a un trattamento d'urto, assumendo entrambi i fiori.

Sintomi chiave

Sensazioni di terrore e di panico; stati di angoscia estremamente acuti.

Sintomi nello stato bloccato

- ■ Si tende al panico interiore.
- ■ Sensazioni di angoscia, che aumentano rapidamente nelle emergenze fisiche e spirituali.
- ■ Terrore, orrore, spavento, il sistema nervoso crolla.

■ Si è folli di paura: non si sente, non si vede, non si dice più niente, il cuore sembra fermarsi.

■ Stati di angoscia nel caso di incidenti, catastrofi naturali, ferite mortali.

■ Frequente nei bambini, che presentano facilmente tachicardia e sudorazione.

■ Il sistema nervoso è provato.

■ Il plesso solare fa male o pesa come un sasso.

■ Frequente in chi ha fatto uso di droghe per molto tempo.

■ Frequente in persone provenienti da famiglie con sistema nervoso fragile.

Potenziale nello stato trasformato

■ Coraggio eroico.

■ In situazioni di emergenza e di crisi, si riesce a superare se stessi e a mobilitare forze quasi sovraumane.

■ Ci si batte per il bene altrui, senza badare ai pericoli per la propria persona.

Consigli per lo stato Rock Rose

(Questi spesso non servono negli stati acuti.)

■ Le persone che hanno spesso bisogno di Rock Rose devono imparare a proteggere mentalmente il proprio plesso solare, ad esempio immaginando uno «scudo luminoso» sopra di esso.

■ Terapia respiratoria.

■ Preghiere, mantra.

☞ *Suggerimenti per frasi programmatiche positive*:

«Sono più che il mio corpo».
«Sono nelle mani di Dio».
«Mi affluiscono forze insperate».

27. ROCK WATER
Acqua di roccia

Nessuna pianta, ma acqua preparata da sorgenti pure nella natura incontaminata, a cui gli abitanti della zona attribuiscono da generazioni proprietà terapeutiche. Ancor oggi si possono trovare queste sorgenti quasi dimenticate – che tra gli alberi e l'erba sono esposte esclusivamente al libero giuoco del sole e del vento – in molte regioni dell'Inghilterra.

Principio: Rock Water è collegato con le capacità spirituali dell'adattamento e della libertà interiore. Nello stato Rock Water negativo si è imprigionati in rigide massime teoriche e in concetti lontani dalla realtà.

Autoerigiamo un monumento a noi stessi, consistente in alti ideali spirituali, direttive morali e principi di salute fisica. Ci si trova davanti a un monumento di dovere autoimposto e sovraumano, con l'obbligo di rispecchiare nella vita quotidiana quest'austera immagine di se stessi. Ma si è in grado di farlo?

Nello stato Rock Water negativo ci si negano molte cose che rendono la quotidianità gradevole e gioiosa, perché si crede che esse contrastino col proprio concetto di vita rigido e ascetico. In quanto astemio, è l'unico che, festeggiando le nozze d'argento di un amico, non brinda alla coppia felice con un bicchiere di spumante, ma che chiede con candida semplicità un bicchiere d'acqua.

Le persone Rock Water vogliono essere interiormente ed esternamente in piena forma e fanno di tutto per arrivarvi. L'uomo che arriva in piscina alle sette di mattina dopo un'ora di jogging, che fa le sue 50 vasche, per poi, con aria serissima, mangiarsi un müesli macinato e preparato da lui stesso, è un caso classico di Rock Water.

Nello stato Rock Water estremo si vorrebbe essere un esempio per gli altri, cercando di convincerli ad abbracciare le proprie idee perché imbocchino anch'essi «la giusta strada». Gli occidentali che entrano in comunità religiose orientali, che attraversano la città con i costumi del luogo e con taciturna solennità, impersonano questo aspetto dello stato Rock Water.

Tanti caratteri Rock Water pretendono di diventare santi già sulla terra. Essi si chiudono in una ferrea camicia di forza, fatta di principi e discipline di ogni tipo. Si sottopongono, ad esempio, a lunghissimi esercizi quotidiani di yoga, seguono una dieta macrobiotica o praticano rituali di preghiere a ogni momento.

Spesso le loro teorie e i loro ideali derivano da vecchie tradizioni, che al loro tempo nel luogo giusto hanno contribuito a grandi cose, ma che non hanno più senso nell'Europa del nostro secolo e che sono difficilmente realizzabili. Questo, però, le persone nello stato Rock Water negativo spesso non lo capiscono, ma si tormentano con autoaccuse quando non riescono a seguire il loro programma giornaliero di training, a causa di altre necessità urgenti della denigrata vita quotidiana. E d'altra parte ciò nuoce al loro sviluppo più di quanto faccia loro bene tutto quel respirare, pregare, meditare per ore.

Nello stato Rock Water non si è un buon interlocutore. Se si tratta di politica, di ecologia o di temi più filosofici, si manifesta un dogmatismo assoluto. Non si accetta ciò che non rientra nel proprio schema.

Ma, al contrario di Vervain, non si vorrebbe mai imporre la propria concezione del mondo all'interlocutore, in quanto si è troppo presi dalla realizzazione delle grandi aspettative di se stessi. Piuttosto, nello stato Rock Water negativo, si tende – come nello stato Water Violet – a un certo autocompiacimento, a una forma sublime di vanità spirituale, a un compassionevole scuotimento di testa, collegato al sentimento «meno male, che io so...».

Nello stato Rock Water non ci si rende conto degli impegni interiori ai quali ci si sottopone continuamente, soffocando importanti bisogni umani. Non ci si rende conto di come si faccia quotidianamente violenza alla propria personalità, di quanta gioia vitale venga soffocata dalle discipline autoimposte. Queste continue richieste a se stessi si esprimono prima o poi con molteplici manifestazioni di inflessibilità fisica. Nel caso di queste personalità, i bisogni fisici sono raramente integrati in modo armonico.

Nello stato Rock Water negativo ci si identifica a livello mentale con massime sovrapersonali. La personalità molto cristallizzata si irrigidisce in talune decisioni, e con ciò non tiene conto delle richieste della realtà. Essa vorrebbe a ogni costo essere ciò che ritiene bene e in nessun caso ciò che ritiene male. E forse ciò che essa considera un bene non è ancora previsto nel suo ciclo vitale attuale.

Il suo errore consiste nell'ostinazione, in un'ottica completamente sbagliata e materiale. Essa vuole imporre egoisticamente il proprio sviluppo, e in questo scambia l'effetto esteriore con la causa interiore. Non si rende conto che un effetto esteriore, ad esempio la modifica di un modo di vivere, s'instaura da solo, se esistono i presupposti esterni. Essa ha dimenticato che alcuni modelli di vita sono l'effetto, non la causa, della crescita spirituale.

Se la personalità vuole imporre un cambiamento esteriore contrario al dettato della propria anima, essa combatte il suo Io Superiore anziché farsi guidare da esso. La personalità è portata a equivocare soprattutto sul fatto che non sussiste autocontrollo quando si è concentrati su se stessi, dimenticando il proprio Io al servizio del prossimo.

Bisogna incoraggiare le persone nello stato Rock Water negativo a porsi di fronte alla loro vera personalità con un coraggioso «Nobody is perfect» e ad affidarsi più al flusso della vita reale anziché a pure teorie. Così facendo si trasformano da rocce spigolose in sassi arrotondati dal torrente, che si lascia trasportare senza problemi da una rapida della vita all'altra.

Chi ha bisogno di Rock Water deve una volta per tutte abbandonare la camicia di forza in cui vive e non ignorare più i piaceri della vita. Un sensitivo, dopo aver assunto Rock Water, ha dichiarato di sentirsi «lievemente accarezzato in tutto il corpo» e di sperimentare, come affermava testualmente, «una rinascita nella realtà».

Le persone nello stato Rock Water positivo possono venir definiti degli idealisti duttili, in quanto sono in grado di accantonare i principi e le massime affermate, quando si trovano di fronte a nozioni nuove e verità superiori. Esse si mantengono aperte. Utilizzano la loro disciplina per la continua osservazione e per l'esame dei loro ideali nelle situazioni della vita reale. Così facendo, nel corso del tempo sono in grado di trasformare molti di questi ideali in realtà concrete e di diventare con ciò automaticamente degli esempi per gli altri.

In pratica, non tutti i giorni ci si imbatte in casi Rock Water così estremi. Tuttavia, Rock Water è spesso indicato temporaneamente, in quanto quasi tutti, in certe situazioni della vita, soffocano le proprie esigenze vitali.

La differenza nella tecnica di non interferenza di Rock Water e Water Violet è:

Rock Water:	Vuole sentirsi spiritualmente superiore; testardaggine interiore; ci si occupa troppo del proprio perfezionamento.
Water Violet:	Spesso spiritualmente superiore; tolleranza spesso eccessiva; rispetto quasi eccessivo per l'individualità altrui; si ama la propria tranquillità.

Sintomi chiave

Severità; rigidità di concezioni; esigenze represse, si è troppo duri con se stessi.

Sintomi nello stato bloccato

■ Forte tendenza al perfezionismo.

■ Si vive secondo rigide teorie e, a volte, ideali impossibili.

■ Si rinuncia a molte cose, perché si è convinti che siano incompatibili con il proprio principio di vita. Con ciò si perde parte della gioia di vivere.

■ Si fa di tutto per essere e rimanere nella massima forma. L'autodisciplina è scritta a lettere maiuscole.

■ Si sono stabiliti dei parametri massimi e ci si costringe, sino quasi all'autodistruzione, a vivere rispettandoli.

■ Non ci si rende conto delle costrizioni a cui ci si sottopone quotidianamente.

■ Spiritualità mal intesa: ci si aggrappa a un'attività parziale (tecnica di meditazione, prescrizioni di dieta, ecc.), facendone un idolo.

■ Ci si sente costretti a tendere verso uno sviluppo spirituale superiore, aggrappandosi a rimozioni interiori.

■ Si è convinti che i piaceri terreni impediscano il proprio sviluppo; si aspira alla santità: asceti, fachiri, flagellanti.

■ Si sopprimono importanti bisogni fisici ed emozionali.

■ Durante la meditazione ci si tende una trappola, in quanto si «vuole» essere troppo forti.

■ Non ci si interessa alla vita altrui, in quanto si è completamente assorbiti dal proprio perfezionamento.

■ Spesso rigidi vegetariani, macrobiotici, astemi, ecc.
■ Ci si incolpa quando non si è in grado di seguire le proprie rigide discipline.
■ I bisogni fisici non sono ben integrati, per cui, nel caso di donne, si hanno spesso problemi mestruali.
■ Molte manifestazioni di stress fisico.

Potenziale nello stato trasformato

■ L'idealista aperto; si è in grado di abbandonare le proprie teorie e i propri principi, quando si è posti a confronto con una conoscenza nuova o una verità più profonda.
■ Non ci si lascia influenzare dagli altri, in quanto si sa che si può trovare in se stessi la conoscenza giusta al momento giusto.
■ Si è in grado di tradurre in pratica alti ideali e di dare l'esempio.
■ Si è d'esempio agli altri per la propria gioia di vita e pace interiore.

Consigli per lo stato Rock Water

■ «Lasciar perdere» in ogni senso.
■ Concedersi più gioie e divertimenti.
■ Essere sinceri con se stessi: alla sera guardarsi nello specchio, dirsi che cosa si pensa delle esperienze affettive del giorno.
■ Esercitarsi a distinguere meglio tra teoria e pratica; non abbandonarsi troppo a teorie sconosciute, ma cercare di sentire dentro di sé che cosa fa bene e che cosa no.
■ Esercizio fisico senza regole rigide, ad esempio pattinaggio, aerobica.

☞ *Suggerimenti per frasi programmatiche positive*:

«Mi lascio guidare dal flusso della vita».
«Sono aperto a nuove esperienze e conoscenze».
«Riconosco il diritto di essere a tutti gli aspetti della vita».
«Lascio che le cose si sviluppino».

28. SCLERANTHUS
Centigrani
Scleranthus annuus

Questa pianta cespugliosa o rampicante dai gambi contorti raggiunge un'altezza tra 5 e 70 cm. Cresce nei campi di grano, sui terreni sabbiosi e ghiaiosi. Fiorisce tra luglio e settembre, con piccoli cespi di fiori verde pallido o verde scuro.

Principio: Scleranthus è collegato ai potenziali spirituali dell'equilibrio interiore e della chiarezza. Nello stato Scleranthus si va da un estremo all'altro.

Chi ha osservato una cavalletta che, stimolata dall'ambiente, saltella senza apparente meta può comprendere come si senta una persona nello stato Scleranthus negativo.

È sufficiente un impulso esterno e si reagisce in modo scoordinato.

Un giorno i propri vicini sono persone splendide e si vorrebbe fraternizzare con loro, un altro giorno sembrano talmente odiosi che si vorrebbe chiudere loro la porta in faccia.

Alla sera si vuole acquistare una casa per le vacanze insieme agli amici, ma la mattina dopo ci si chiede se si è completamente impazziti, si fa marcia indietro, poi ci si lascia nuovamente convincere a dei ripensamenti. Questo gioco si ripete più volte, finché gli amici si spazientiscono.

Nello stato Scleranthus si è come una bilancia continuamente in movimento e che oscilla da un'estremo all'altro: esultanti di gioia, mortalmente affranti, attivissimi, completamente apatici; oggi si fanno fuoco e fiamme per un'idea, domani si è del tutto disinteressati. Questo continuo cambiamento di opinioni e di sentimenti fa sembrare labili e inaffidabili le persone Scleranthus.

La ragazza che non riesce a scegliere tra due corteggiatori è un classico caso Scleranthus. Quando è insieme al tranquillo impiegato le sembra chiaro che sia questo il suo posto. Quando esce con l'ingegnere pieno di iniziative, che vorrebbe emigrare con lei in Australia, si chiede che cosa la trattenga in Europa. Quando è sola e pensa a che cosa veramente vuole, non arriva mai a una decisione, ma oscilla continuamente tra le due possibilità, per settimane, per mesi, senza risultato. Nel dubbio, non si confida nemmeno con i genitori o con gli amici, in quanto, nello stato Scleranthus, al contrario di Cerato, si vuole arrivare a una soluzione da soli, a costo d'impiegarci molto tempo.

Dalla casistica del centro Bach, Chancellor racconta di un colonnello che ha impiegato tre mesi per decidersi ad accettare una terapia.

Spesso, la discontinuità delle persone Scleranthus si manifesta anche esteriormente in gesti nervosi e sconnessi. Si fanno movimenti inutili. «Stai un po' calmo», dice la madre al figlio Scleranthus. Alcune donne che hanno bisogno di Scleranthus cambiano l'abbigliamento più volte al giorno, secondo l'umore.

I pazienti nello stato Scleranthus irritano molti medici, in quanto i loro sintomi coinvolgono, più o meno, tutto il corpo. «Che dolore abbiamo oggi?», chiede il medico, e si chiede dentro di sé se sia il caso di prendere sul serio i nuovi sintomi.

Ovviamente, la mancanza di un equilibrio interiore nello stato Scleranthus si manifesta a volte anche fisicamente: disturbi dell'equilibrio, mal d'auto o disturbi dell'orecchio interno. I mutamenti d'umore si manifestano anche come passaggi da un estremo all'altro: stitichezza o diarrea, febbre o temperatura bassa, fame da lupi o inappetenza. Per questo Scleranthus può aiutare anche durante la gravidanza.

Alcuni ritengono che una predisposizione allo stato Scleranthus negativo possa crearsi nelle prime due, tre ore di vita di una persona, se questa in un ambiente caotico, viene esposto ad un numero eccessivo di impressioni che si sovrappongono. Come una lente che, a causa di eccessive esposizioni al suono, ha ora finissime screpolature all'interno e che quindi non è più in grado di focalizzare la luce, così la personalità nello stato Scleranthus non è in grado di fare ordine nei propri impulsi e pensieri, di metterli a fuoco e di collegarli in un quadro finalizzato e chiaro. La sua energia vaga senza meta e a volte in modo bizzarro tra varie sfaccettature della coscienza.

L'errore nello stato Scleranthus sta nel rifiuto della personalità di dire chiaramente sì alla guida del proprio Io Superiore. Perciò le manca quell'orientamento interiore verso la metà dell'anima che le darebbe misura, forza, direzione. Finché non si è chiaramente decisa circa il cammino da seguire, viene influenzata dalle forze più varie, è incerta fra i poli opposti del dualismo terreno ed è attratta ora da questo, ora da quello. Così facendo, spreca tempo ed energie, non si sviluppa.

Nello stato Scleranthus, bisogna far di tutto per permettere ai pensieri e al corpo di raggiungere il centro del proprio io e di trovare un ritmo interiore. Il primo passo in questa direzione sarebbe di non abbandonarsi agli estremi delle esperienze, positive o negative, ma di cercare di raggiungere una via di mezzo. Ci si deve comportare come un acrobata sulla fune, che anzitutto si accorda al ritmo delle proprie oscillazioni e solo poi – con i piedi saldamente posati sulla fune e lo sguardo fisso avanti – cammina con passi decisi.

Questo equilibrio, che proviene da una grande forza interiore, è spesso caratteristico delle persone nello stato Scleranthus positivo, che prendono le loro decisioni con la sicurezza di un sonnambulo proprio al momento giusto. E, come un acrobata continua a sviluppare il proprio numero sulla fune, le persone nello stato Scleranthus positivo sono in grado d'integrare spiritualmente sempre maggiori possibilità nella vita, senza perdere l'equilibrio. La loro calma interiore, la loro chiarezza e il loro atteggiamento deciso hanno un'influenza positiva e calmante sulle persone nervose che le circondano.

Sintomi chiave

Indeciso, discontinuo, interiormente insoddisfatto.
Le opinioni e i sentimenti cambiano da un momento all'altro.

Sintomi nello stato bloccato

■ Indeciso, a causa di un'inquietudine interiore.
■ Nei pensieri, si oscilla continuamente tra due possibilità.
■ Cambiamenti di umore estremi: piangere e ridere, esultare di gioia – essere mortalmente affranti.

■ Si assorbono molti impulsi, si salta qui e là come una cavalletta.

■ Si dà la sensazione di essere inaffidabili, a causa delle proprie mutevoli prese di posizione.

■ Carenza di armonia e di equilibrio interiori, crisi di nervi.

■ Scarsa concentrazione, si salta da un argomento all'altro.

■ Per l'indecisione interiore, si perde tempo prezioso, e nella vita privata così come nel lavoro si perdono buone occasioni.

■ Quanto si è presi da conflitti interiori, non si chiede consiglio ad altri, ma si cerca di arrivare a una decisione da soli.

■ Spesso si fanno gesti sconnessi e scattanti.

■ Le manifestazioni fisiche collaterali di questa mancanza di equilibrio possono essere tra l'altro:

passaggi improvvisi dall'attività all'apatia,

la temperatura dell'organismo cambia velocemente,

i sintomi riguardano parti sempre diverse del corpo,

si hanno disturbi dell'equilibrio di ogni genere,

mal di macchina, mal di mare,

alternanza tra grande fame e inappetenza,

alternanza tra diarrea e stitichezza.

Potenziale nello stato trasformato

■ Capacità di concentrazione e decisione.

■ Si mantiene il proprio equilibrio interiore in tutte le situazioni.

■ Ecclettici e flessibili, si è in grado di integrare nella propria vita sempre nuove possibilità.

■ Si prendono in un attimo le giuste decisioni, con una sicurezza da sonnambulo.

■ La propria presenza ha un effetto calmante sugli altri.

Consigli per lo stato Scleranthus

■ Non esagerare niente, evitare gli estremi; invece di seguire un percorso interiore discontinuo, tendere a un dolce movimento ondoso.

■ Esercizi di respirazione, che aiutano a equilibrare e a far fluire le cose.

■ Attività fisiche in cui sia necessario avere equilibrio e abilità: pattinare, giochi di destrezza.

☞ *Suggerimenti per frasi programmatiche positive*:

«Io trovo il mio ritmo interiore».

«Al centro del mio io trovo la decisione giusta».

«Seguo l'aurea via di mezzo».

«Sono in collegamento con il mio Io Superiore».

29. STAR OF BETHLEHEM
Latte di gallina
Ornithogalum umbellatum

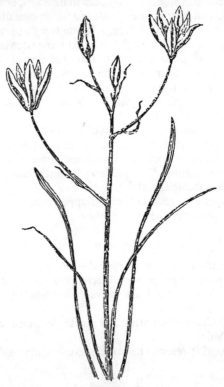

Questa pianta della famiglia della cipolla e dell'aglio, alta tra 15 e 30 cm con le foglie slanciate ed esili attraversate a metà da una lunga linea bianca, cresce nei boschi e nei campi. I fiori a strisce verdi all'esterno e bianchi all'interno si schiudono in aprile e in maggio soltanto se c'è il sole.

Principio: Star of Bethlehem è collegato con il potenziale spirituale del risveglio e del riorientamento. Nello stato negativo, la persona vive in un dormiveglia mentale e spirituale, in una specie d'intontimento interiore.

Star of Bethlehem aiuta in tutte le manifestazioni che seguono gli shock fisici, mentali e spirituali (da non confondersi con il concetto medico), indipendentemente dal fatto che il trauma mentale si sia formato alla nascita, o in tempi recenti, per essersi schiacciato un dito nella portiera della macchina.

Star of Bethlehem è il fiore più importante del rimedio composto «di salvataggio», in quanto sintetizza l'effetto delle altre quattro essenze floreali. Esso neutralizza gli avvenimenti traumatizzanti e rimette in sesto i meccanismi autocurativi del corpo.

A questo riguardo, per «trauma» s'intende ogni influenza energetica esterna che il corpo non sia in grado di smaltire, ma alla quale esso risponda con una distorsione – non importa se questa distorsione sia consapevolmente registrata dalla personalità o no. Nel sistema energetico, i traumi non si diluiscono e provocano una certa paralisi nella loro zona d'influenza.

Quasi tutti, nel corso della vita, subiscono traumi psichici che non si è in grado di superare. Alcuni di questi si manifestano subito nell'organismo. Un'estetista, ad esempio, che aveva ricevuto lo sfratto, non fu più in grado di udire bene, finché non gli venne somministrata Star of Bethlehem. Altri traumi si manifestano chiaramente soltanto mesi o anni dopo l'accaduto. La malattia, ad esempio un'artrite, può quindi essere collegata alla sua vera causa soltanto dopo lunghe ricerche.

Le cosiddette malattie psicosomatiche hanno la loro causa, come è noto, in un trauma non risolto, in quanto ogni persona reagisce diversamente dalle altre, con la propria debolezza organica specifica.

Più raramente lo stato negativo si manifesta come un vero tratto caratteriale. Queste persone sembrano «spente», parlano a voce bassa, si muovono lentamente e a volte hanno tendenze mistiche. Alcune circostanze sembrano indicare che nel loro caso vi sia un antico peso del destino nel quale abbiano influito la magia, l'abuso di ambizione e il consumo di droghe. L'errore mentale dello stato negativo consiste nel rifiuto interiore della persona di prendere attivamente parte alla vita.

Invece di interpretare il proprio ruolo nel teatro della vita, sotto la regia del proprio Io Superiore, la persona si tira indietro, non vuole sentire, «chiude bottega», in un certo senso finge di essere morta. Così facendo, si accumulano molte cose non assorbite, che finiscono per avvelenare l'io interiore, rendendo sempre più difficile la trasmissione di informazioni tra i vari livelli energetici. La conseguenza è che, alla minima richiesta di energia, il sistema è sovraccaricato e come paralizzato; piccole parti del sistema rifiutano di stare al gioco.

Bach chiamava Star of Bethlehem «il rimedio consolatore dell'anima, che allevia i dolori».

Star of Bethlehem risveglia la persona dal suo dormiveglia mentale e la riconduce al proprio Io Superiore. Essa vitalizza i collegamenti energetici, soprattutto nella sfera nervosa. I residui sono in grado di dissolversi. La persona si integra su tutti i livelli, diventa più vitale ed è di nuovo in grado di sopportare i carichi energetici normali. Essa avverte una forte vitalità, chiarezza mentale e forza interiore.

Nella prassi quotidiana Star of Bethlehem viene utilizzato spesso, in quanto al giorno d'oggi nessuno è immune da traumi. Oltre ad Holly e a Wild Oat, si deve prendere in considerazione Star of Bethlehem se la combinazione prima seguita non dà particolari risultati. E se vi fosse un trauma all'interno del sistema? In questo caso Star of Bethlehem fungerebbe da catalizzatore.

Nel trattamento parallelo di malattie psicosomatiche resistenti alla terapia, Star of Bethlehem ha dato risultati sorprendenti, soprattutto se somministrata per lunghi periodi – anche mesi. Molto spesso ha una funzione regolatrice nel caso di sensazioni di tensione nella gola e di disturbi di deglutizione, cioè nel caso di traumi che «erano rimasti in gola». Nel caso di disturbi dei sensi, bisogna sempre pensare a Star of Bethlehem. Le persone che hanno fatto abuso di analgesici spesso traggono profitto da Star of Bethlehem combinato con Crab Apple.

Nei neonati, Star of Bethlehem è indicato contro il trauma della nascita, insieme a Walnut, per la metamorfosi in una nuova forma di vita. Alcuni suggeriscono di aggiungere questa miscela all'acqua del bagno.

Talora Star of Bethlehem è d'aiuto alle donne che soffrono di mestruazioni dolorose. Infatti, ogni mestruazione è una piccola nascita o, se si vuole, un «minitrauma». Le terapie volte a risolvere traumi psichici, come ad esempio il *rebirthing*, vengono ben sostenute da Star of Bethlehem.

Differenza sostanziale tra Star of Bethlehem e Honeysuckle:

Honeysuckle:	Rifiuta inconsciamente l'accettazione degli avvenimenti passati.
Star of Bethlehem:	È incapace di reggere un'esperienza traumatica.

Sintomi chiave

Conseguenze di shock fisici, mentali o spirituali, sia vecchi sia recenti. «Consola l'anima e allevia i dolori».

Sintomi nello stato bloccato

■ Infelicità, tristezza, desolazione paralizzante a seguito di delusioni, brutte notizie, incidenti e altri avvenimenti traumatizzanti. L'avvenimento può risalire fino all'infanzia; può anche essere inconscio.

■ Esperienze sentimentali spiacevoli fanno sentire la loro eco per lungo tempo.

■ In una situazione in cui si avrebbe bisogno di consolazione, non si riesce ad accettarla.

■ Si fa fatica ad accettare emotivamente le situazioni spiacevoli e lontane nel tempo.

■ Possibili manifestazioni parallele fisiche: apatia, assenza emotiva, portamento insicuro, voce soffocata.

■ Lascia perplessi la sfrontatezza altrui.

Potenziale nello stato trasformato

■ Vitalità interiore, chiarezza mentale e forza interiore.

■ Buona capacità di adattamento del sistema nervoso alle modifiche energetiche.

■ Capacità di rapida convalescenza.

Consigli per lo stato Star of Bethlehem

(Non validi per lo stato acuto, ma per forme croniche.)

■ Controllare il sistema linfatico.

■ Terapie nelle quali vengono affrontati i traumi: ad esempio *rebirthing*.

■ Curare i reni.

☞ *Suggerimenti per frasi programmatiche positive*:

«Abbandono tutti i blocchi energetici».
«Tutto il mio sistema respira».
«La mia testa è chiara e limpida».
«Ho in me una comunicazione totale tra tutti i livelli».

30. SWEET CHESTNUT
Castagno dolce
Castanea sativa

Cresce in boschi aperti su un terreno soffice e mediamente umido fino a un'altezza di 20 m. Le infiorescenze ad amento fortemente profumate fioriscono soltanto dopo la formazione del fogliame tra giugno ed agosto, cioè dopo gli altri alberi.

Principio: Sweet Chestnut è collegato al principio della liberazione. Nello stato Sweet Chestnut negativo, la persona arriva al punto di essere convinta di non avere speranze di salvezza.

Bach scriveva di Sweet Chestnut: «È il fiore per lo stato interiore sofferente, in cui sembra minacciata l'esistenza stessa dell'anima; per coloro che pensano di avere raggiunto i limiti della propria capacità di sopportazione». Dal punto di vista dell'intensità della sofferenza, Sweet Chestnut è forse uno degli stati spirituali negativi più intensi, anche se esteriormente non si manifesta sempre così drammaticamente. Tutto avviene ai livelli interiori, che all'interessato rimangono in larga misura a livello inconscio.

Lo stato Sweet Chestnut negativo è il momento in cui la persona se ne sta completamente sola, in un certo senso con le spalle al muro, sentendosi priva di aiuto e protezione, come un uccellino che sia caduto dal nido. Si è sospesi nel nulla tra cielo e terra, come paracadutisti che abbiano cercato invano di far funzionare la cordicella di strappo. Si è combattuto senza batter ciglio, pieni di speranza, ma ora si è a mani vuote. Non c'è più ieri né domani, ma solo un oggi vuoto e disperato. Si è consapevoli che non può essere che una questione di ore perché le dighe crollino.

Lo stato Sweet Chestnut negativo è l'ora della verità, il confronto della personalità con se stessa e allo stesso tempo il suo ultimo – errato – tentativo di opporsi e di difendersi da un cambiamento interiore decisivo. È la notte senza la quale non può essere nuovamente giorno.

L'intensità della sofferenza sembra superare la capacità umana; i limiti di sopportabilità vengono dilatati all'impossibile. Ciò avviene per poter rompere e abbandonare le vecchie strutture della persona, per fare spazio a nuove dimensioni della coscienza.

Sweet Chestnut introduce sempre cambiamenti decisivi, come, ad esempio, la liberazione da una lunga relazione autodistruttiva con un partner. Spesso, lo stato Sweet Chestnut si pone come un guardiano della soglia, all'inizio di un'autentica evoluzione spirituale.

La persona impara che cosa significhi essere sola e si rende conto che soltanto attraverso questo ripensamento di se stessa si apre la via a un altro livello della coscienza o verso Dio. La persona si rende conto che le viene tolto tutto perché deve andare a mani vuote incontro al nuovo mondo che le verrà offerto; che deve arrendersi completamente per poter rinascere del tutto.

«Quando la sofferenza è massima, l'aiuto di Dio è più vicino» recita un passo della Bibbia che descrive assai bene l'effetto dell'energia Sweet Chestnut. Lo stato Sweet Chestnut positivo è lo stato della fiducia in Dio nonostante le avversità, il momento in cui vengono ascoltate le invocazioni di aiuto e in cui possono avvenire miracoli. Sweet Chestnut aiuta ad attraversare le fasi dolorose di trasformazione senza che la persona si perda o si spezzi.

Le persone nello stato Sweet Chestnut negativo si sforzano sempre – come Agrimony – di nascondere agli altri la loro disperazione interiore. E anche nei momenti di più profonda depressione – a differenza del Cherry Plum – non viene mai loro l'idea di farla finita.

Nella pratica quindi non è sempre facile accorgersi dello stato

Sweet Chestnut negativo. Espressioni come: «Sono alla fine delle mie risorse» oppure «Non so più come andare avanti...» sono chiari indizi.

Raramente esistono veri caratteri Sweet Chestnut. Lo sviluppo di queste persone è quasi sempre segnato da avvenimenti esteriori o da esperienze interiori estreme, che tuttavia non vengono sempre vissute in maniera dolorosa, bensì in maniera stressante.

Sintomi chiave

Disperazione profonda; senso di vuoto. Si ha l'impressione di aver raggiunto il limite che un essere umano può sopportare.

Sintomi nello stato bloccato

■ Si vive la propria situazione come senza uscita e non si sa come proseguire.
■ Si ha l'impressione di aver raggiunto il limite estremo della capacità di sopportazione.
■ Situazione limite: ci si sente interiormente persi, abbandonati nel vuoto, in un isolamento totale.
■ Situazione di stress mentale estremo.
■ «La buia notte dell'anima».
■ Si pensa che un essere umano non debba sopportare tanto, e si crede che Dio ci abbia dimenticato.
■ Si sono perse tutte le speranze, più acutamente che in Gorse, ma non lo si fa vedere all'esterno.
■ Si ha la certezza che debba accadere qualcosa di completamente nuovo.

Potenziale nello stato trasformato

■ L'esperienza del nulla alla soglia di nuovi orizzonti.
■ Ci si era persi e ci si è ritrovati.
■ La fenice, che rinasce dalle ceneri.
■ Ci si rende conto della chance di un cambiamento radicale.
■ Si è nuovamente in grado di credere; esperienza di Dio.

Consigli per lo stato Sweet Chestnut

■ Meditazione sul principio dell'apprendimento attraverso la sofferenza e sul concetto di redenzione.
■ Riposo alla luce e nella natura.

☞ *Suggerimenti per frasi programmatiche positive*:

«Deve essere notte fonda, prima che possa nuovamente sorgere il sole».

«Verso la luce attraverso la notte».

«Quando il bisogno è maggiore, l'aiuto di Dio è più vicino».

«Il mio io interiore non può venire spezzato».

31. VERVAIN
Verbena
Verbena officinalis

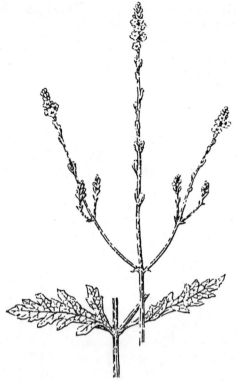

Questa pianta robusta ed eretta, che può arrivare a un'altezza di 60 cm, cresce su terreni aridi e secchi e nelle brughiere soleggiate. I piccoli fiori inferiori, di colore rosa o malva, fioriscono tra luglio e settembre.

Principio: Vervain è collegato ai potenziali spirituali dell'autodisciplina. Nello stato Vervain negativo, la volontà è troppo rivolta verso l'esterno e l'energia è sprecata in maniera antieconomica.

Durante una gita scolastica, il professore ha incaricato il piccolo Pietro di ricordargli l'ora, così che il programma di viaggio possa svolgersi senza intoppi. Pietro è raggiante di orgoglio per l'onore e pieno di zelo. La mattina si sveglia, la sera va a dormire con il pensiero dell'ora e si sveglia di notte, chiedendosi che ora sarà. Vuole adempiere al proprio compito con zelo ed entusiasmo e si fa in quattro. Se il professore per caso lo guarda, subito gli dice l'ora. Se i suoi compagni di classe rimangono un po' indietro e fanno perdere tempo, lui li segue come un fulmine e li prega di affrettarsi, perché bisogna essere puntuali. Durante il viaggio, Pietro non ha requie. Interiormente è sempre teso, e i suoi compagni lo chiamano «l'orologio»: un precoce esempio di carattere Vervain.

Nella persona Vervain arde una fiamma interiore, spesso un'idea positiva, di cui è completamente intrisa: non trova pace finché non ha convinto tutti di questa idea. I presidenti delle organizzazioni di carità che sacrificano la vita privata, il tempo libero e le ore di sonno alla «buona causa» e che non temono le discussioni, sono caratteri Vervain. Sono sempre al lavoro, e si sentono in dovere di rispettare il loro ruolo come attori. Con zelo missionario cercano di convincere della loro buona causa ogni persona con cui hanno a che fare, a volte con successo, a volte no. E questo perché nel dubbio facilmente strafanno: sono gli avvocati che rovesciano sull'interlocutore una salva di argomenti, non il diplomatico che lascia parlare anche gli altri.

Queste persone, per l'eccessivo dispendio di forza di volontà, a lungo andare devono pagare un salato conto energetico. Sono tese e nervose sia interiormente, sia esteriormente e reagiscono con irritazione quando non riescono a fare le cose come speravano. Ciò le induce ad impegnarsi ancora di più, a spremere ancora di più da se stesse. Non si concedono un minuto di riposo e solo poche ore di sonno. Sopravvalutano la propria vitalità e si rovinano la salute. Improvvisamente si «beccano» un'influenza, perché il loro organismo non ha più difese.

Alcune persone nello stato Vervain negativo sono interiormente così tese che non riuscirebbero a rilassarsi neanche se lo volessero. Si può percepire la loro tensione muscolare dalla mimica eccessiva e dal modo esasperato con cui svolgono le attività fisiche. Ad esempio, quando prendono in mano la matita, questa quasi si spezza fra le loro dita; quando salgono le scale, sembra che portino stivaloni militari.

Le persone spiccatamente Vervain sprecano la loro energia verso l'esterno e a volte – al contrario di Rock Water – vogliono costringere gli altri a pensare come loro. Sono i rivoluzionari interiori, che «con giusta rabbia stanno sulle barricate per una buona causa», e che a volte non si rendono minimamente conto delle complicazioni che provocano: sono loro i «predicatori spirituali ambulanti», le persone con la coscienza della propria missione, coloro «che non sanno mai stare zitti», ma che sono disposti ad andare in prigione per un'idea. Nel caso estremo è anche lo studente che si cosparge di benzina e si dà fuoco. Purtroppo questi nuocciono alla loro causa anziché aiutarla e vengono presto dimenticati come fanatici. Proprio qui sta la tragedia e l'errore dello stato Vervain negativo.

Nello stato Vervain negativo si è sentito il richiamo della propria anima e lo si vuole seguire. Per questo, temporaneamente si è investiti di un'energia positiva alla quale la persona e l'organismo non sono preparati. La persona cerca di utilizzare questa energia, ma le mancano ancora le conoscenze di certe leggi e la necessaria esperienza per utilizzarla. La personalità prende questa energia e cerca di «farne» qualcosa secondo le proprie idee limitate, invece di lasciarla semplicemente agire. In un certo senso, la persona cerca di far passare un potente getto d'acqua attraverso un tubo sottile.

Ora, la persona deve imparare che questa energia non le è stata fornita per sprecarla come le pare e piace, ma per sfruttare il proprio talento. Cioè esige anche che essa tratti bene il proprio corpo – il contenitore dell'energia – invece di rovinarlo. Deve anche rendersi conto che ogni pressione crea una contropressione, che non è necessario «vendere» a forza una buona idea, ma che è molto più convincente quando si impersona una idea, quando si «è» quest'idea.

Nello stato Vervain positivo, la persona si è esercitata, ha imparato a essere padrona della propria irrequietezza e ad utilizzare con amore la propria energia, in maniera finalizzata. La persona è convinta del proprio compito, ma è anche sempre disposta ad ascoltare altre opinioni e a modificare il proprio punto di vista, se lo ritiene necessario. Essa pensa in un quadro più ampio. Sa trascinare senza difficoltà e illuminare anche altri attraverso il proprio fuoco interiore.

La differenza fondamentale tra Vine e Vervain:

Vervain:	Vuole che gli altri si appassionino a un'idea, con pressioni eccessive.
Vine:	Esercita consapevolmente una pressione per raggiungere i propri fini.

Sintomi chiave

Entusiasmo e zelo eccessivi, fino all'esaurimento delle proprie forze; irritabilità e nervosismo che talora possono sfociare nel fanatismo.

Sintomi nello stato bloccato

■ Ci si appassiona a un'idea, e si vorrebbero convincere anche altri.
■ Le ingiustizie possono irritare moltissimo.
■ Intensi, superconcentrati, si vorrebbero fare le cose al di là delle proprie forze.

■ Impulsivi, idealistici fino al missionarismo.

■ Interiormente eccitati, sempre attivi.

■ Nell'eccesso di zelo, si dice agli altri come devono fare le cose, ci si mette al posto loro, si cerca di costringerli alla loro fortuna.

■ Nel desiderio di convertirli, si invadono gli altri con la propria energia, stancandoli.

■ Si esagera, ci si fa in quattro, si vuole assolutamente «vendere» un'idea, e con ciò non si aiuta l'idea stessa.

■ Ci si attiene a un'idea fino in fondo; fanatismo.

■ Si è sempre in prima linea per una giusta causa e con «una giusta rabbia».

■ Coraggiosi, si accetta di correre rischi; si è pronti a fare sacrifici per i propri fini.

■ Con un enorme dispendio di energia, ci si costringe a continuare, anche se le forze fisiche sono esauste.

■ Si è irritati e nervosi.

■ Spesso robusti, si parla e ci si muove velocemente.

■ Si è talmente agitati interiormente, che spesso non si riesce quasi a riposare; i muscoli, gli occhi e la mente sono estremamente tesi.

■ Bambini iperattivi, che la sera è impossibile mandare a letto.

Potenziale nello stato trasformato

■ Ci si riconosce nella propria idea, ma si riconosce anche agli altri il diritto di esprimere la propria opinione.

■ In certi casi, nelle discussioni, ci si lascia convincere anche da altri argomenti.

■ Si vedono le cose in un quadro più vasto.

■ Si è in grado di utilizzare la propria grande energia in maniera amorevole e finalizzata per un compito valido.

■ Il «portatore della fiaccola» è in grado di appassionare, ispirare e trascinare gli altri.

Consigli per lo stato Vervain

■ Rendersi conto che sotto una tensione continua, ogni sistema a un certo punto è costretto a cedere e che ciò non giova a nessuno.

■ Accettare il fatto che non sempre è l'intensità dell'impegno che porta al successo, ma la tattica psicologica adeguata.

■ Non camminare «sopra» ma «con» l'altro.

■ Inserire consapevolmente nel programma della giornata delle pause di rilassamento: stare seduti, fare degli esercizi di respirazione, ecc.

■ Tai Chi e altre meditazioni con movimenti lenti e armonici.

■ Sport di rendimento o corsi di danza per canalizzare positivamente l'energia e la forza di concentrazione.

☞ *Suggerimenti per frasi programmatiche positive*:

«Mi tengo indietro e lascio venire gli altri».
«Tengo a bada la mia energia, per poterla utilizzare in maniera più dolce e finalizzata».
«Divento un contenitore per forze superiori e mi abbandono alla mia guida interiore».

32. VINE
Vite
Vitis vinifera

La pianta rampicante, che arriva fino a 15 m e oltre, predilige climi caldi o temperati. I suoi fiori verdi e profumati formano grappoli compatti. Il periodo della fioritura varia secondo il clima.

Principio: Vine è collegato ai potenziali spirituali dell'autorità e della capacità di imporsi. Nello stato Vine negativo, si è duri, assetati di potere, e non si rispetta l'individualità altrui.

Vine è una forma energetica estremamente forte, che dona alla persona capacità di guida superiori alla media, ma che allo stesso tempo pone alla persona richieste altissime. Infatti, la tentazione di lasciarsi ipnotizzare da questa forza vulcanica e di utilizzarla solamente per la soddisfazione di finalità ristrette ed egoistiche è molto forte.

I caratteri spiccatamente Vine sono molto capaci, ambiziosi e ineguagliabili in quanto a forza di volontà e presenza di spirito. Trovano vie d'uscita in ogni crisi, hanno sempre le redini in mano. Abituati al successo, nella lotta per la sopravvivenza escono sempre vincitori. Ciò, prima o poi, li porta alla convinzione di essere infallibili. Queste persone sono convinte che l'unico modo per fare un piacere agli altri consista nel dir loro che cosa debbano fare e nell'esigere che lo facciano in quella precisa maniera.

«Non so proprio cosa vogliono, in fondo è soltanto per il loro bene...», dice l'autoritario caporeparto al collega che gli vuole far capire che ha un modo di trattare le persone troppo militaresco. «Non sono all'altezza della situazione», affermano scuotendo la testa. Se all'esame del fatturato il loro reparto risulta, come sempre, il migliore, si chiedono se non sia il caso di cogliere l'occasione per gestire anche il reparto di un collega. Rispetto... correttezza?... ridicolo! «In affari bisogna sàper camminare sui cadaveri!»

Molti malfattori e tiranni della storia e della letteratura, Nerone per tutti, personificano lo stato Vine negativo. Basta sfogliare un rotocalco: i servizi sulle dittature, le atrocità, la tortura, mostrano come l'energia Vine negativa regni tuttora sul nostro pianeta, con la sua forza devastante imbattuta.

Nello stato Vine negativo si perde ogni sensibilità nei confronti del prossimo e si diventa vittime delle proprie convinzioni. «Bisogna prendere il ragazzo con le cattive», dice il padre e accetta che il figlio, nei suoi confronti, provi paura anziché amore. «Non dovete pensare, ma fare esattamente ciò che vi dico...», afferma l'anziana maestra di danza mettendo ben in evidenza la bacchetta. Tra le persone che hanno bisogno di Vine, sono numerosissimi gli artisti che, essendo molto sensibili e ambiziosi, quotidianamente si costringono all'esercizio con una volontà di ferro, pensando alla propria forma fisica, agli appuntamenti di vernissage accettati, alla carriera. Questa paura, insieme all'ambizione, a una volontà di ferro e alla spinta interiore al successo, costituisce il conflitto di fondo nella quasi totalità degli stati Vine.

Ciò mette in evidenza l'errore della persona, che utilizza le immense forze che le affluiscono, e delle quali, del resto, spesso non è all'altezza, unicamente per il proprio vantaggio, per la soddisfazione della propria vanità, anziché metterle al servizio del proprio Io Superiore. «A che ti serve essere un semidio, se non sei un essere divino?» quest'ammonimento di un insegnante spirituale americano vale soprattutto per le persone con tratti Vine fortemente accentuati. Quando si assume Vine e ci si apre al proprio Io Superiore e alle finalità superiori della propria anima, ci si rende conto che si viene portati dalla stessa forza con cui prima si voleva controllare tutto.

Si percepisce come la forza di volontà si unisca all'amore, il potere alla saggezza. Poiché non si agisce più egoisticamente, ma con la consapevolezza della globalità superiore, sempre maggiori forze affluiscono spontaneamente.

Si diventa lo strumento di un livello superiore e con le proprie azioni, automaticamente, ci si mette anche al servizio degli interessi positivi degli altri. La loro riconoscenza, conscia o inconscia, fa sì che ai caratteri Vine affluiscano forze sempre nuove, che conferiscono un'autorità naturale che non ha bisogno di atteggiamenti dominatori. Nello stato Vine positivo, ci si rende conto che le cosiddette forti capacità di guida in fondo occorrono solo nel corso di passeggere situazioni di crisi, e che, per la maggior parte del tempo, si è semplicemente, come ben diceva Federico il Grande, «il primo servitore del proprio Stato». Ci si rende conto del proprio compito di aiutare gli altri a trovare la loro via.

Nella prassi, si nota spesso che lo stato Vine si presenta in concomitanza con un altro tratto apparentemente contrapposto, ad esempio con Pine oppure con Centaury. In questo caso, il conflitto della personalità può consistere, ad esempio, nel fatto che una forte impressionabilità Centaury deve essere compensata da forza di volontà e durezza (Vine).

Nelle donne, lo stato Vine, si manifesta spesso, secondo i ruoli, in forma mascherata. La volontà di ferro viene verbalizzata più raramente attraverso delle dure richieste dirette, ma è leggibile piuttosto attraverso lo sguardo e le azioni.

Lo stato Vine negativo può manifestarsi in concomitanza con tutte le manifestazioni corporee che sono l'espressione di forti tensioni interiori, come ad esempio ipertensione, sclerosi dei vasi e delle articolazioni, alcune forme di angioneurosi, ecc.

Sintomi chiave

Ambizione divorante, sete di potere, il «piccolo tiranno».

Sintomi nello stato bloccato

■ Molto capace, estremamente sicuro di sé, grande forza egoistica.
■ È difficile obbedire.
■ Ci si assume volentieri la guida, e spesso si è «il salvatore pronto di spirito nelle situazioni di emergenza».
■ Si corre il pericolo di abusare delle proprie capacità per fini personali.
■ Si scavalcano senza riguardo le opinioni altrui.

■ Non si dubita neanche un secondo della propria superiorità, e perciò si impone la propria volontà.

■ Il tiranno di casa, il dittatore.

■ Durezza, mancanza di compassione.

■ La testa viene prima del cuore.

■ Si regna incutendo consapevolmente la paura agli altri.

■ Sul letto di degenza si dice al medico ciò che deve fare e si tiene il personale di servizio sul chi-va-là.

■ Non si discute, in quanto si ha sempre ragione.

■ Le persone che non vogliono seguire il gioco di potere vengono ignorate.

■ L'intransigenza interiore può portare a una tensione interiore estrema e a dolori fisici.

■ I bambini picchiano brutalmente i compagni di gioco.

Potenziale nello stato trasformato

■ La guida saggia e piena di comprensione; l'insegnante che possiede un'autorità naturale; il «buon pastore».

■ Si è in grado di delegare bene e di mettere le proprie capacità di guida al servizio di un compito superiore.

■ Si è in grado di aiutare gli altri, e di aiutarli a trovare la propria via.

Consigli per lo stato Vine

■ Lavoro di gruppo, esercitarsi a essere uno fra tanti.

■ Durante la discussione, cercare la comunicazione con l'Io Superiore dell'altro.

■ Esercizi yoga per il riequilibrio del campo energetico.

■ Tai Chi, come esperienza del flusso energetico.

☞ *Suggerimenti per frasi programmatiche positive*:

«Dominare significa servire».
«Percepisco e rispetto l'unicità di ogni individuo».
«Sia fatta la Tua volontà».

33. WALNUT
Noce
Juglans regia

Questo albero, che può raggiungere anche i 30 m di altezza, cresce vicino alle siepi e nei frutteti. I numerosi fiori maschili e i fiori femminili, meno numerosi, di colore verdognolo crescono sulla stessa pianta. Fioriscono in aprile o maggio, poco prima o in concomitanza col fogliame.

Principio: Walnut è collegato ai concetti spirituali della ripresa e della disinvoltura. Nello stato Walnut negativo, si hanno difficoltà a compiere il passo definitivo, in quanto, consapevolmente o inconsapevolmente, si è ancora imprigionati con alcuni aspetti della propria personalità in decisioni o intrecci del passato.

Walnut era venerato dai nostri antenati come pianta regale (presso gli antichi romani era consacrato a Giove): è naturale, quindi, che tra le 38 essenze floreali Bach Walnut occupi una posizione di spicco. Infatti, essa viene utilizzata in situazioni particolari della vita, in cui stanno per verificarsi mutamenti essenziali. Queste situazioni possono essere ad esempio: il passaggio a una fede diversa, l'inizio di un nuovo rapporto personale, il completo mutamento della professione, l'emigrazione in un altro paese.

Ma, come nel caso di un nuovo inizio mentale e spirituale, Walnut aiuta anche nel caso d'importanti fasi di mutamento biologico, che comportano anch'esse importanti mutazioni interiori, e che liberano potenziali energetici del tutto nuovi: ad esempio, durante il periodo della dentizione, nella pubertà, in gravidanza, in menopausa o nello stadio finale dell'esistenza fisica.

Tutte le importanti situazioni di mutamento sono caratterizzate sia da una maggiore tensione, sia da una maggiore labilità interiore. Nel corso di queste fasi, nelle quali «non si è ancora del tutto fuori e nemmeno più del tutto dentro», anche i caratteri più stabili, che normalmente sanno perfettamente ciò che vogliono, tendono alla volubilità. Diventano suscettibili ai bisbigli di ammonitori e scettici, ricadono in vecchie abitudini, si aggrappano alle emozioni di concetti convenzionali o ad antiche tradizioni familiari e rischiano di perdere la loro decisione interiore.

Nello stato Walnut negativo, spiritualmente si è in una barca che deve farci attraversare un fiume. Si vede già chiaramente l'altra riva, ma la barca non si è ancora del tutto staccata. Ci sono alcuni ultimi legami che ci trattengono come magicamente al passato, magari un inaspettato avvenimento negativo, un rapporto di coppia non assorbito, forse addirittura una decisione della quale non ci si rende nemmeno conto. Manca solo l'ultimo spunto decisivo, il comando del capitano per salpare.

Scrive Bach a proposito di Walnut: «È indicato per tutti coloro che hanno deciso di fare un passo avanti nella propria vita, di rompere con certe convenzioni superate, di lasciare dietro di sé vecchie frontiere e limitazioni e di ricominciare da zero». Questa separazione da vecchi legami, pensieri e sentimenti è sempre dolorosa, e spesso si manifesta anche nell'organismo.

Spesso, lo stato Walnut si manifesta solo in modo passeggero. Purtroppo, non esistono che pochi caratteri Walnut veri. Quando si ha a che fare con questi, essi hanno sempre qualcosa di pionieristico, sono spesso precursori di ideali e di pensieri. Sono persone che toccano una terra vergine mentale; hanno delle precise finalità nella vita e nella loro realizzazione agiscono in maniera anticonvenzionale. Però il loro atteggiamento di base aperto, la pressione della perenne situazione di *outsider* e la resistenza naturale delle «masse inerti» può portarli temporaneamente al pericolo di vacillare, di soccombere agli appelli e quindi a cambiare rotta.

Ma, d'altra parte, possono compiere la propria missione soltanto se sono spiritualmente liberi. Perciò, devono scrollarsi di dosso quanto li potrebbe legare; in questo, Walnut[1] fornisce loro il necessario sostegno e la necessaria solidità.

Se nello stato Walnut negativo si può parlare di un errore della personalità, questo sta nella temporanea confusione e nella reazione ritardata agli impulsi dell'Io Superiore. Da una parte si è aperti verso la propria guida interiore, dall'altra ci si lascia distrarre troppo spiritualmente, anziché sottomettersi alla guida del proprio Io Superiore. Temporaneamente, ci si orienta ancora verso altre persone e idee, anziché unicamente verso il compito che ci pone l'anima.

Spesso, le relative cause si ricollegano ad altre forme esistenziali; possono essere dei legami karmici di cui non ci si è ancora resi conto, vecchie decisioni sbagliate, che esercitano un'influenza autosuggestiva a livello inconscio. Perciò Bach parla del Walnut come di uno *spell-breaker*, del fiore che aiuta a rompere «l'incantesimo».

L'energia Walnut costituisce un ponte tra questi livelli, crea un legame interiore tra i fatti del destino prima e dopo l'accaduto; aiuta nel corso della definitiva liberazione dalle ombre e dai legami del passato.

Nello stato Walnut positivo, si è interiormente liberi e capaci di veleggiare verso nuovi orizzonti. Si procede nella realizzazione del proprio compito nella vita, senza l'influenza di circostanze esterne e incuranti dell'opinione altrui. Edward Bach stesso fu un esempio di questo stato Walnut positivo. Negli ultimi anni della sua vita egli lasciò dietro di sé tutto – l'affermazione sociale, la sicurezza economica, le tradizioni della medicina ortodossa, tutto il suo passato professionale – per dedicarsi esclusivamente alla sua vocazione interiore, deriso dai suoi ex colleghi e in condizioni economiche assai precarie.

Qui di seguito riportiamo una serie di esempi dalla prassi quotidiana, in cui, in stadi di progressivo mutamento, Walnut può essere di aiuto – come sempre in combinazione con altre essenze floreali specifiche per il carattere: entrando nell'età pensionabile; nel caso di un volontario trasloco in un ricovero per anziani; a seguito di un colpo apoplettico o di altre malattie che comportino una mutazione consistente della situazione vitale; all'inizio di una situazione lavorativa completamente nuova e diversa dal *background* della propria vita; a seguito di una psicoterapia in cui siano stati resi accessibili parti completamente nuove e sconosciute della propria personalità, il che ha portato a nuove decisioni interiori; nel corso di procedimenti di divorzio: fisicamente, la separazione è già avvenuta, ma qualcosa lega ancora la persona al partner, i

---

[1] La similitudine tra Walnut e il cervello è molto interessante. Secondo le convinzioni attuali, è la corteccia cerebrale che prende le decisioni.

suoi pensieri negativi possono ancora colpirla. Alcuni medici assumono Walnut per proteggersi dall'irradiazione energetica dei loro pazienti. Inoltre è stato utilizzato per la fissazione energetica di un trattamento omeopatico di alta potenza e nel trattamento parallelo di tossicodipendenti. L'azione stabilizzante del Walnut è stato anche riscontrata nel caso di manipolazioni di chiropratici sulla spina dorsale e nel caso di sofferenze durante la formazione dei denti.

Le differenze nell'influenzabilità e nell'indecisione nel caso di alcune essenze di Bach:

Centaury:	Influenzabile per la debolezza della propria volontà.
Cerato:	Influenzabile per la sfiducia nella propria capacità di giudizio.
Scleranthus:	Influenzabile per la mancanza di un equilibrio psichico; dal punto di vista energetico, ci si sente sballottati in ogni direzione.
Wild Oat:	Influenzabile per la mancanza di chiarezza circa la propria finalità.
Honeysuckle:	Influenzabile, perché la coscienza vaga nel ricordo del passato.
Clematis:	Influenzabile, perché la coscienza vaga in mondi fantastici.
Walnut:	Influenzabile per la maggiore sensibilità e labilità nel corso delle fasi importanti della vita.

Sintomi chiave

Insicurezza; indecisione; ipersensibilità al giudizio altrui; influenzabilità e incostanza durante importanti cambiamenti.

Sintomi nello stato bloccato

◼ Nella vita, si hanno chiari concetti di finalità, normalmente si sa perfettamente ciò che si vuole, ma a volte si fa fatica a restare fedeli a se stessi.

◼ Normalmente, si agisce in maniera molto autonoma ma ci si lascia temporaneamente influenzare nelle proprie decisioni da riguardi verso la famiglia, le convenzioni sociali, i ricordi sentimentali o le opinioni di scettici.

◼ È stata presa un'importante decisione – manca soltanto l'ultimo passo per la sua realizzazione.

◼ Si vorrebbero lasciare dietro di sé tutte le limitazioni e le ingerenze, ma non vi si riesce ancora del tutto.

■ Nel caso di decisioni per la propria vita, si riesce solo difficilmente a sottrarsi all'influenza di una persona più forte: modello, partner, insegnante, ecc.

■ Si è costretti a ripensare tutto il piano della propria vita per un avvenimento esteriore inaspettato.

■ Si stanno verificando importanti mutamenti nella propria vita: cambio di professione, divorzio, pensionamento, trasloco in un'altra città, trasloco in un ricovero per anziani, ecc.

■ Si annunciano decisivi mutamenti biologici: dentizione, pubertà, gravidanza, menopausa, malattie terminali.

■ Ci si vuole chiarire del tutto le idee per un cambiamento.

■ Nonostante nuove decisioni, inspiegabilmente non ci si riesce a staccare da una vecchia abitudine.

■ Si è rotta una relazione di coppia, ma, nonostante la divisione fisica, ci si sente ancora in «potere» del partner.

Potenziale nello stato trasformato

■ Il pioniere, che rimane fedele a se stesso.

■ Si segue fermamente la meta della propria vita, nonostante tutte le avversità e non lasciandosi influenzare dagli altri.

■ Si ha un atteggiamento disinvolto e aperto davanti al nuovo.

■ Ci si accorge della regolarità che sta dietro i mutamenti.

■ Si è immuni dalle influenze esterne e aperti verso le ispirazioni interiori.

■ Si riesce finalmente a liberarsi del tutto dalle ombre del passato.

Consigli per lo stato Walnut

■ Durante le fasi vitali di mutamento: dormire abbastanza, alimentarsi in modo sano. Evitare tutti quei fattori che possono contribuire all'instabilità della persona.

■ Meditazione sul Chakra della corona.

■ Contemplazione dei principi e delle azioni di grandi maestri; leggere l'I Ching.

☞ *Suggerimenti per frasi programmatiche positive*:

«Seguo soltanto la mia guida interiore».
«Lascio andare tutte le limitazioni che possono trattenermi dalla meta della mia vita».
«Tengo duro».
«Le influenze distruttive mi passano accanto».

34. WATER VIOLET
Violetta d'acqua
Hottonia palustris

Fa parte della famiglia delle violacee e fiorisce in maggio e giugno nelle acque stagnanti o a corso lento, negli stagni e nei fossi. I fiori, di colore lilla pallido con il centro giallo, sono disposti a spirale attorno allo stelo privo di foglie. Le foglie a forma di piume rimangono sotto la superficie dell'acqua.

Principio: Water Violet è collegato alle qualità spirituali dell'umiltà e della saggezza. Nello stato Water Violet negativo non ci si comporta con la saggezza dovuta, ma ci si ritira in un orgoglio riservato.

Nel caso del Water Violet si tratta di uno stato energetico in gran parte trasformato. I tratti Water Violet si manifestano quasi sempre in concomitanza con il potenziale positivo, in un certo senso come fenomeni di scostamento.

La forma esterna del Water Violet esprime assai bene la sua energia caratteriale interiore: gracile ma eretta. Contemporaneamente, la parte che dà stabilità alla pianta, le foglie con tante diramazioni, rimane sotto la superficie dell'acqua.

Spesso le persone con forti tratti Water Violet hanno il controllo della propria personalità. La loro personalità è caratterizzata da una superiorità non invadente e da una distaccata dignità. Agli occhi degli altri ciò conferisce loro spesso un'irradiazione d'inavvicinabilità e inattaccabilità. Le persone spiccatamente Water Violet sono diverse dalle altre. Come un puro gatto siamese, si muovono silenziosi nell'ambiente con elegante maestosità e se ne vanno per la loro strada. Chi non ha pensato, vedendo queste persone: «Vorrei essere così anch'io»? Ma i caratteri Water Violet, oltre alla loro capacità e individualità eccezionale, hanno anche le loro difficoltà specifiche.

C'è, ad esempio, l'insegnante di yoga molto richiesta che proviene da un'antica famiglia di ufficiali: nonostante la sua regalità e superiorità, a volte si sente isolata dagli altri, ha difficoltà a scendere da quel podio interiore sul quale l'hanno messa i suoi allievi e a proporsi loro liberamente. Poiché una grande delicatezza di sentimenti non è tipica di questo carattere, dato che i suoi affetti fluiscono piuttosto dalla mente, essa a volte non sa fino a che punto può spingersi interiormente e, nel dubbio, si trattiene. Nonostante che gli altri abbiano difficoltà a infrangere il suo muro del suono personale, il consiglio di persone accentuatamente Water Violet è molto apprezzato.

Ma se il peso mentale di queste persone diventa eccessivo, può capitare che esse improvvisamente si ritengano superiori, che ricadano nei loro errori ereditari, cioè l'orgoglio e la presunzione, e che si ritirino nel loro guscio di tartaruga. Lì, nessuno ha il diritto di disturbarle. Come loro, per principio, non si immischiano nelle faccende altrui, così non accettano, anche in caso di malattia, l'ingerenza di terzi. Preferiscono risolversi da sé i propri problemi. Poiché vogliono tuttavia mantenere le forme, bloccano molta energia, il che, a lungo andare, può portare a tensioni e rigidità della schiena, del collo e delle articolazioni.

Le persone con forti tratti Water Violet sono ottimi superiori, non solo per il loro modo coscienzioso di lavorare, ma soprattutto per la loro capacità di costituire una roccia tranquilla e oggettiva nel mare delle emozioni dei collaboratori. Sono quasi sempre al di sopra delle cose e preferiscono lavorare e agire con tatto e calma dietro le quinte. L'unico problema che hanno è di prendere delle decisioni difficili, in quanto hanno sempre presente la situazione di tutti coloro che sono coinvolti.

Al contrario di Vine, un Water Violet non costringerà mai un dipendente a fare una certa cosa. Ma quando, per un lungo periodo, non riesce a raggiungerlo, interiormente se ne scosterà.

Quando, nello stato negativo, si trascorre molto tempo entro il proprio guscio di tartaruga, si assume un atteggiamento negativo, in quanto ci si isola dal vivo scambio energetico, senza il quale anche la persona più padrona di sé non è in grado di vivere. La personalità s'irrigidisce sempre più rispetto all'ambiente e in rapporto a se stessa, togliendosi dalla guida del proprio Io Superiore e non rendendosi conto che la sua superiorità e la sua peculiarità costituiscono anche dei doveri.

Anziché staccarsi, nella sua diversità dalle altre persone, la persona Water Violet deve trasmettere agli altri i suoi valori tramite uno scambio energetico conscio o inconscio e, con la propria superiorità, costituire un esempio che sia fonte d'ispirazione.

Questa esemplarità è un tratto predominante delle persone nello stato positivo, che costituiscono, per chi sta loro attorno, un'isola di tranquillità, di pace e di speranza. Esse camminano attraverso la propria vita con grazia gentile e dignità interiore.

Gli insegnanti e le persone del settore terapeutico sono spesso, in modo accentuato, Water Violet. Quando, come terapeuta, si ha temporaneamente la sensazione di non trovare più contatto con i propri pazienti, o quando improvvisamente si sente la necessità di ritirarsi completamente dal mondo, si dovrebbe prendere Water Violet.

In un caso tipico, il paziente presentava un eczema sulla mano destra: quella con la quale si prende in mano il mondo.

Sintomi chiave

Temporaneamente: riservatezza interiore, riserbo orgoglioso, difficoltà a esprimere i sentimenti, sensazione di superiorità isolata.

Sintomi nello stato bloccato

Si manifestano quasi sempre in concomitanza con il potenziale trasformato.

- A causa della propria superiorità, a volte ci si sente isolati.
- A volte si agisce con sufficienza od orgoglio.
- Non si accetta che altri s'immischino nelle proprie faccende personali.
- Si risolvono tutte le cose tra sé, non si fanno pesare agli altri le proprie difficoltà.
- Poiché interiormente si mantiene una distanza, agli altri si dà la sensazione di essere presuntuosi, spavaldi o arroganti.

■ Si ha difficoltà ad andare incontro agli altri senza riserve, di propria iniziativa.

■ Si vorrebbe scendere dal proprio podio interiore, ma non si sa come fare.

■ A volte non si sa fino a dove ci si può spingere in una certa situazione, e nel dubbio ci si immobilizza.

■ Ci si vuole ritirare da tutto: «My home is my castle».

■ Altri hanno difficoltà a superare il proprio «muro del suono» e a costruire un vero contatto personale.

■ Si tende a evitare le discussioni condotte in maniera emotiva perché stancano.

■ Si è molto ricercati come consiglieri.

■ Non si è in grado di riposare bene.

■ Si piange raramente, ci si preoccupa per la compostezza interiore.

Potenziale nello stato trasformato

■ Amabile, dolce, con una riservatezza piena di tatto.

■ Interiormente indipendente, equilibrato, piuttosto tranquillo.

■ Capace, competente, spesso superiori ad altri.

■ Buona autostima, si ha coscienza del proprio valore.

■ Si è in grado di agire bene con se stessi, si sta volentieri da soli.

■ In generale, si ha saldamente in mano la propria vita.

■ Ci si muove senza fare rumore in maniera aggraziata e non invadente.

■ Spesso si parla a voce bassa, in maniera cortese e decisa.

■ Atteggiamento tollerante: «Vivi e lascia vivere».

■ Non si interverrebbe mai, anche se si vedono le cose in maniera completamente diversa.

■ Di solito si è al di sopra delle cose, «la roccia nel mare».

■ Si lavora in maniera sicura e coscienziosa, preferibilmente dietro le quinte.

■ Si costituisce per altri un modello di persona equilibrata e interiormente indipendente.

■ Si agisce con umiltà, amore e saggezza.

■ Si è in grado di crearsi un'atmosfera di silenzio, di speranza e di rilassatezza.

■ Si attraversa la vita con grazia e dignità interiore.

Consigli per lo stato Water Violet

■ Esercitarsi, sintonizzarsi consapevolmente sull'Io Superiore di ogni persona con cui si ha a che fare.

■ Coltivare degli hobby collegati alla terra.

☞ *Suggerimenti per frasi programmatiche positive*:

«Ho parte, prendo parte».
«Ho bisogno del mondo e il mondo ha bisogno di me».
«Mi tengo aperto».
«Agisco con amore, umiltà e saggezza».

35. WHITE CHESTNUT
Ippocastano bianco
Aesculus hippocastanum

Fiorisce alla fine di maggio o all'inizio di giugno. Generalmente i fiori superiori dell'albero sono maschili, quelli inferiori femminili. All'inizio, il loro colore è bianco-giallognolo, poi si formano delle macchie rossastre.

Principio: White Chestnut è collegato alle qualità spirituali della tranquillità mentale e della capacità di distinzione. Nello stato negativo, si è vittima di concezioni improprie e mal capite.

Chi non conosce questo stato? Vi sono stati dei problemi sul lavoro: dopo una discussione focosa, durata due ore, sembra tutto risolto al meglio. Di sera ci si immerge nella vasca da bagno per rilassarsi, ma la discussione sul lavoro continua: ci si ricorda di tutto ciò che si sarebbe voluto dire. Si cerca di giustificarsi di fronte a un'immaginaria commissione interna. Torna sempre in mente quell'intervento sprezzante dell'interlocutore che prima si stimava. Non può essere vero che una persona possa deludere tanto. Sarà il caso di andarsene? Ma allora, che cosa succederà di quella nuova, grossa ordinazione? Non pensarci adesso, pensaci domani con calma, dormici sopra. Ma niente da fare: non si riesce a dormire. Anche a letto, la giostra dei pensieri va avanti con gli stessi argomenti e controargomenti. Se soltanto si potesse fermare quel turbinio di pensieri, dormire... Se...

Le persone che hanno forti tratti di Water Violet non vivono questo stato ogni tanto, ma spesso. Molte persone si sono talmente abituate ai loro dialoghi interiori, che li considerano quasi come uno stato normale.

Nello stato negativo, si è vittima di un eccessivo lavoro mentale, che ha preso il predominio sugli altri livelli della personalità. Alcune persone, che avevano bisogno di White Chestnut, durante la meditazione avvertivano la propria mente come un'entità energetica completamente a sé.

«Mentalmente mi muovo come un criceto sulla ruota e non riesco a fare un passo avanti», disse uno studente delle superiori nello stato White Chestnut. «I miei pensieri sono come vermi nelle orecchie, che non vogliono lasciare la mia testa. Mi dominano completamente». «L'altro giorno, per questo rimuginare interiore, finivo quasi contro un lampione». «La mia testa è tanto piena di chiacchiere interiori che in ufficio non riesco più a prendere decisioni lucide». Queste sono le espressioni tipiche di persone nello stato White Chestnut negativo.

Non sono pochi coloro che soffrono di cefalea frontale cronica,[1] soprattutto nella regione sovraorbitaria. Molti faticano a prendere sonno, o si svegliano alle quattro del mattino oppressi da pensieri che non riescono a scrollarsi di dosso, ma che continuamente si ripresentano. La forte tensione mentale si manifesta spesso anche nel volto. Le persone nello stato White Chestnut spesso inconsciamente muovono le mascelle come le persone Vervain.

Chancellor scrive giustamente: «Al contrario dello stato Clematis, in cui si fugge volontariamente dalla realtà nel mondo dei propri pensieri, nello stato White Chestnut si darebbe tutto per poter fuggire dal mondo dei propri pensieri, per poter essere soltanto nella realtà, con una mente chiara e fresca».

Esistono le più svariate ipotesi sulla genesi dello stato White Che-

---

[1] Nel secolo scorso, la medicina popolare suggeriva contro la cefalea, per lo più di origine nervosa, non causata da ipertensione cerebrale, di portare con sé tre castagne crude per tre giorni. Gli effetti risultavano benefici.

stnut negativo. Bach stesso diceva che esso si manifesta quando l'interesse della persona alla situazione presente non è sufficientemente forte da assorbire completamente l'anima. Sembra che in questi momenti si affaccino alla coscienza altri pensieri più importanti, che si vorrebbero inquadrare in maniera soddisfacente.

In ogni caso, nello stato negativo, sembra che un processo di selezione non possa svilupparsi in maniera ottimale a livello mentale-spirituale. A livello mentale, la persona non ha sviluppato una capacità sufficiente per decidere quali impulsi di pensieri accettare e quali respingere. Si potrebbe dire che essa accetti avidamente tutto ciò che arriva e che si veda confrontata con una marea di impulsi cerebrali che non riesce ad inquadrare.

Gli impulsi cerebrali si accumulano come tanti piccoli foglietti e messaggi su una scrivania disordinata, i quali ostacolano la vista del documento importante. La persona alla scrivania, a livello mentale è talmente sovreccitata che ha difficoltà a far ordine, a separare le cose importanti da quelle meno importanti, quelle urgenti da quelle meno urgenti.

Il distoglimento della persona dalla guida del proprio Io Superiore si manifesta nello stato negativo in un'avidità mentale egocentrica. Mancando una guida interiore e una focalizzazione su un principio vitale superiore, la persona, a livello mentale, gioca troppo con i propri pensieri, fraintendendo le cose, perdendosi nei meandri e diventando vittima di impulsi che non rientrano nel suo programma spirituale. Non appena essa si pone nuovamente sotto la guida del proprio Io Superiore e della propria anima, tutti gli impulsi mentali vengono selezionati al meglio. Essa è in grado di espellere tutti i concetti estranei che la disturbano e le limitano la visione del proprio programma spirituale.

Nello stato positivo, la persona è in grado di lasciar passare ogni impulso estraneo come un treno rapido in aperta campagna, senza avere la tentazione di salirvi. Il suo stato spirituale è caratterizzato dalla calma e dalla pace. Dal limpido lago della loro coscienza, le risposte e le soluzioni dei problemi emergono da sole. Le persone nello stato positivo sono in grado di utilizzare costruttivamente il loro forte livello mentale.

Qui di seguito è delineata la sensazione mentale del carico nello stato Hornbeam, Scleranthus e White Chestnut:

Hornbeam: La testa è pesante, a volte ci si sente mentalmente sovraccarichi; la sensazione di inerzia prevale.

| Scleranthus: | Con i pensieri, si passa da una possibilità all'altra, come una cavalletta; prevale la sensazione di indecisione. |
| White Chestnut: | L'apparato mentale è sovreccitato; i pensieri girano senza sosta; ci si sente alla loro mercé. |

Sintomi chiave

Pensieri e immagini che si presentano continuamente alla mente; difficoltà a eliminarli; dialogo interiore logorante.

Sintomi nello stato bloccato

■ Pensieri ed immagini non richiesti si impongono continuamente alla coscienza, non si è in grado di eliminarli.

■ Un timore o un avvenimento non ci lascia più, ci rode la mente.

■ Si pensa continuamente a «ciò che si sarebbe dovuto dire» o a «ciò che si dovrebbe dire».

■ È come se un disco saltasse continuamente sullo stesso solco.

■ Con la mente, si rimane continuamente nello stesso punto, senza esito, ci si sente come un criceto sulla ruota.

■ Ininterrotta chiacchierata della mente, una «stanza degli echi» nella testa.

■ Interiormente si continuano a elaborare gli stessi problemi senza arrivare a una soluzione.

■ Iperattività dell'apparato mentale, perciò nella vita quotidiana si è tanto concentrati che, ad esempio, non si sente che altri ci rivolgono la parola.

■ A causa della logorante pressione dei pensieri, non si riesce a dormire, soprattutto nelle prime ore del mattino.

■ La tensione mentale porta a digrignare i denti, a «macinare» con la mascella; si ha una sensazione di tensione intorno alla fronte e gli occhi.

Potenziale nello stato trasformato

■ Stato spirituale equilibrato.

■ Nella mente regnano la calma e la pace.

■ Dalla calma interiore emerge da sola la soluzione di ogni problema.

■ Si è in grado di lavorare costruttivamente con la propria forza mentale.

Consigli per lo stato White Chestnut

■ Occuparsi della «forza dei pensieri».

■ Eliminare i pensieri indesiderati attraverso la visualizzazione: ad esempio sciogliendoli nell'acqua, bruciandoli nel fuoco, coprendoli di neve, facendoli trasportare via da un treno, ecc.

■ Esercizi di respirazione, di yoga, che armonizzano il sistema energetico.

☞ *Suggerimenti per frasi programmatiche positive*:

«La calma fluisce in me».

«Tutto si sviluppa in modo giusto».

«La soluzione cercata affiorerà in me da sola».

«Mi libero dai pensieri estranei e inopportuni».

36. WILD OAT
Avena selvatica
Bromus ramosus

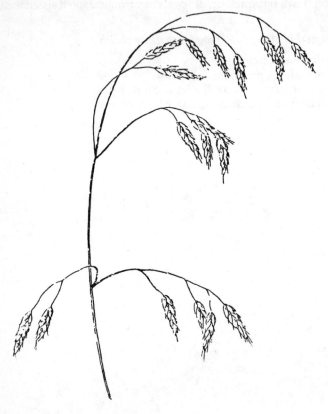

Questa graminacea è molto diffusa in Inghilterra e cresce nei boschi umidi, tra i fitti arbusti e vicino ai sentieri. I fiori di ambo i sessi sono nascosti tra le infiorescenze.

Principio: Wild Oat è collegato alle qualità spirituali della vocazione e della perseveranza. Nello stato negativo, non si sa quale sia la vera vocazione e ci si sente profondamente irrealizzati e insoddisfatti.

I tipici caratteri Wild Oat si manifestano precocemente. Spesso i soggetti con tale carattere sono molto dotati e non devono applicarsi particolarmente per raggiungere il loro scopo. Molte cose riescono facili. Ma, nonostante ciò, sono ambiziosi e vogliono raggiungere alte mete, pur non sapendo bene quali possano essere. Contemporaneamente, le persone Wild Oat desiderano anche godersi la vita – per di più in modo non troppo convenzionale. Non vogliono seguire la corrente, ma guidare la nave della vita con la loro mano. Però non sanno ancora il nome del porto di arrivo. Per questo, le persone spiccatamente Wild Oat faticano a trovare il proprio posto nella società. Esse non amano prendere posizione interiormente. Può succedere che, a causa del loro atteggiamento mentale indefinito, arrivino a frequentare ambienti che non sono alla loro altezza mentale e spirituale, e ciò li frustrerà ancora di più.

Alle persone Wild Oat la vita proporrà sempre nuove opportunità. Iniziano molte cose, spesso svolgono (anche con un certo successo) più professioni contemporaneamente, ma manca sempre loro l'ultima certezza interiore per decidersi definitivamente. Anzi, dopo un certo periodo, il compito che le aveva affascinate fino a ieri diventa poco interessante, ed esse criticano dentro di sé i colleghi, che giudicano noiosi, anche se fino a ieri si sentivano a loro agio assieme ad essi. Così distruggono ciò che avevano costruito, per poi cogliere la prima opportunità che ritengono possa dare grandi soddisfazioni.

Si potrebbe pensare che questo stato di frenesia creativa sia molto stimolante, ma, in realtà, a lungo andare è vero il contrario: le persone segnate dall'avena di bosco interiormente avvertono come non sono mai in grado di dire di sì con tutto il cuore, né di fruire dei frutti delle loro fatiche.

Le persone Wild Oat, mentalmente, non si sposano mai, essendo sempre alla ricerca di un partner ideale. Infatti, lo stato negativo può essere inteso come uno stato prolungato di pubertà mentale. Si hanno molti grilli per la testa e si continua a pensare a ciò che si vorrebbe e a come dovrebbe essere.

Si sprecano energie in tutte le direzioni, anziché sottoporsi alla guida del proprio Io Superiore.

Il malinteso consiste in una estrosità e in un egocentrismo eccessivo della persona che cerca incessantemente le proprie mete e decisioni nel mondo esteriore, anziché rendersi conto di dover soltanto seguire la guida del proprio Io Superiore, per trovare la decisione dentro di sé dove, del resto, la si è presa da tempo.

Le persone nello stato Wild Oat devono imparare a vivere più in profondità che in superficie. Si renderanno conto allora che la vita non diventa più noiosa, come temono, ma che, al contrario, propone esperienze insperate. A ogni decisione, dovrebbero anche porsi la domanda del perché interiore. Infatti, devono rendersi conto che ciò che conta non è fare qualcosa di «speciale», ma fare ciò che, in ogni situazione, è la cosa «giusta» – e cioè nel modo più completo e positivo, in quanto ogni azione fa parte integrante di un evento superiore. Dovrebbero sapere che le loro molteplici capacità sono richieste nel quadro di avvenimenti superiori, e che richiedono una guida superiore.

Quando si assume Wild Oat ci si rende conto che, a poco a poco, si diventa più calmi, più lucidi e più sicuri. A mano a mano, ci si rende conto in maniera sempre più chiara di ciò che realmente si vuole, e si agisce meno impulsivamente. Si diventa in grado di mettere in linea le proprie molteplici capacità, di porle al servizio di una meta superiore, e non ci si lascia più distogliere dal proprio filo rosso, anche quando si presentano le possibilità più lusinghiere. La vita è sempre piena di cambiamenti, ma, al contempo, è più ricca e soddisfacente.

Come Holly, anche Wild Oat è d'aiuto all'inizio di un trattamento nel quale la combinazione delle essenze finora sperimentate non dà risultati o vengono usate troppe essenze. Ma spesso lo stato Wild Oat che dura nel tempo è ricollegabile all'infanzia. I bambini tipicamente Wild Oat fanno raramente parte di una compagnia ben precisa. Fanno parte di tutto, ma mai fino in fondo. A volte, uno stato tardivo può essere causato da genitori dominanti, che hanno tolto al bambino ogni capacità decisionale, indebolendo l'evoluzione della sua personalità.

Spesso Wild Oat è indicato quando occorre prendere decisioni di lavoro e nell'andropausa. L'esperienza dice che le persone nello stato negativo possono avere problemi di natura sessuale. Molte di esse tendono anche a mangiare troppo.

Differenza dell'indecisione nello stato Scleranthus e Wild Oat:

Scleranthus: Oscilla tra due possibilità
Wild Oat: Ha tante possibilità ma non riesce a scegliere.

Sintomi chiave

Incertezza circa la strada da seguire; insoddisfazione, perché non si riesce a trovare il proprio compito nella vita; ansia, depressione.

Sintomi nello stato bloccato

■ Si hanno progetti poco chiari; non si riesce a trovare la meta della propria vita. Ciò provoca infelicità e frustrazione.
■ Si è ambiziosi, si vorrebbero fare cose speciali, nella vita, ma non si sa bene quali.
■ Nonostante tante possibilità, non ci si sente portati a una precisa professione; questo «vivere nelle nuvole» è scoraggiante.
■ Si è sempre spinti verso nuovi progetti.
■ Ci si sente abbattuti perché le cose non sono chiare come per gli altri.

■ Si è molto dotati, si provano tante cose, ma nessuna porta alla vera soddisfazione.

■ Talento e capacità inesauribili.

■ Interiormente, non ci si vuole fissare, e si finisce col manovrare sempre in situazioni insoddisfacenti.

■ Si sprecano le proprie forze.

■ Si vivono situazioni, circostanze professionali e private insoddisfacenti.

Potenziale nello stato trasformato

■ Capacità di individuare chiaramente la propria meta e di realizzarla.

■ Si possiede versatilità e talento e si è in grado di seguire un filo rosso superiore e di portare a termine ogni cosa.

■ Si hanno chiari progetti e ambizioni e non ci si lascia distogliere dal realizzarli.

■ Si ha la capacità di fare molte cose, a volte anche di svolgere più attività contemporaneamente e con successo.

Consigli per lo stato Wild Oat

■ Iniziare a sottomettere la propria vita a una meta superiore.

■ Cercare una guida superiore.

■ Definire i valori dei vari interessi, alcuni come hobby, altri da consolidare nel lavoro.

■ Pianificare a breve termine, ma portare tutto in porto.

☞ *Suggerimenti per frasi programmatiche positive*:

«Interiormente seguo lo scopo della mia vita».
«Mi lascio guidare».
«Vedo chiaro e attiro a me tutte le possibilità».
«Metto i miei talenti al servizio del tutto superiore».

37. WILD ROSE
Rosa canina
Rosa canina

La specie di base di tante rose coltivate cresce ai bordi soleggiati dei boschi, presso le siepi e nei dirupi sassosi. I fiori bianchi, rosa chiaro o scuro si aprono singolarmente o a gruppi di tre fra giugno e agosto, con cinque grandi petali a forma di nocciolo.

Principio: Wild Rose è collegato ai potenziali spirituali della dedizione e della motivazione interiore. Nello stato negativo, il principio della dedizione viene inteso in maniera errata e vissuto negativamente.

Invece di dedicarsi gioiosamente alla propria vita e al proprio compito, nell'ambito del tutto superiore, ci si arrende di fronte al risultato negativo delle proprie aspettative. Spesso questo malinteso risale ai primi giorni di vita e forse deriva anche da altre forme esistenziali. Esso provoca un totale abbandono dell'iniziativa personale e una rassegnazione apatica nei confronti della vita interiore ed esteriore. Un neonato che piange invano per ore finisce, prima o poi, per non sperare più che la madre arrivi a dargli da mangiare. Nella sensazione di abbandono totale e di vuoto assoluto, ci si abbandona completamente al destino. Diminuisce l'interesse per la vita. Ciò che resta non è altro che un vegetare.

Le persone che hanno bisogno di Wild Rose spesso appaiono semimorte, come alcune piante che vegetano senza forza. Da tempo hanno superato le depressioni. Come «i condannati all'ergastolo» hanno capitolato e accettato cupamente il loro destino. Esse pensano che la loro situazione sia senza uscita: la malattia cronica, il matrimonio mal riuscito, la professione insoddisfacente. Non riescono a pensare che anche per loro possa esistere qualcosa di diverso. «È una situazione senza sbocco». «Che vuoi farci, devo viverci insieme». «Tanto, per me è finita». Queste e simili frasi espresse a voce spenta spesso sono incomprensibili agli altri, in quanto non sempre le circostanze esterne sono così negative.

Le persone nello stato Wild Rose sono interlocutori noiosi e quindi impegnativi, in quanto il loro temperamento, a causa dei molteplici programmi che hanno in mente e che si ostacolano fra loro, non sono in grado di cogliere l'energia vitale cosmica della giusta qualità e a trasformarla interiormente.

Non sempre lo stato Wild Rose è così evidente. Se si verifica a livelli più attenuati, può manifestarsi, come compensazione, una sorta di attività sfrenata, come si vede a volte nei manager di successo.

Chi assume Wild Rose a poco a poco sente ritornare le forze della vita e ricomincia a vivere. Liberato, può dedicarsi ogni giorno di più alla vita. Attraversato da una sempre maggiore energia vitale, riesce finalmente a far affluire tutti i piccoli e grandi gioielli della vita con gioiosa aspettativa e interesse vitalizzante.

Spesso, la Wild Rose è un rimedio a lungo termine, ma si è rivelato di aiuto anche nel caso di stati di passeggera mancanza di energia, ad esempio nella psicoterapia in cui si ritorna ai primi anni di vita, dopo un indebolimento dovuto a eccessi sessuali, a seguito di aborti o dopo una fase di intenso lavoro sulla propria personalità.

Differenza della disperazione dello stato Wild Rose e Gorse:

Wild Rose: Vive alla giornata con indifferenza paralizzante. Non riesce a sperare per sé qualcosa di diverso. Passività totale.

Gorse: Non sempre è senza speranza, ma attraversa
                          fasi di disperazione, perché pensa di dover
                          rinunciare per sempre alle proprie speranze.
                          Interiormente è più attivo di Wild Rose.

La differenza della rassegnazione nello stato Sweet Chestnut e
Wild Rose:

Sweet Chestnut: Si pensa di aver raggiunto i limiti della pro-
                          pria capacità di sopportazione, si è al limite
                          della rassegnazione. Ma non ci si abbandona
                          ancora.

Wild Rose: Ci si è rassegnati ad aver oltrepassato il limi-
                          te. Interiormente, ci si è abbandonati del tut-
                          to o parzialmente. Più passivi di Sweet Che-
                          stnut.

Sintomi chiave

Assenza di partecipazione, apatia, rassegnazione, capitolazione interiore.

Sintomi nello stato bloccato

■ Si è rassegnati, anche se le circostanze esterne non sono poi così di-
sperate e negative.
■ Perdita totale della gioia di vivere e della motivazione interiore a
causa di decisioni negative inconsce.
■ Non si intraprende più alcuno sforzo per cambiare positivamente la
propria vita.
■ Si accetta tutto fatalisticamente.
■ Ci si abbandona al proprio destino, ad esempio: matrimonio infelice,
professione insoddisfacente, malattia cronica, ecc.
■ Si crede di aver ereditato delle influenze negative.
■ Tristezza latente.
■ Ci si sente cronicamente annoiati, indifferenti e interiormente vuoti.
■ Non ci si lamenta del proprio stato perché lo si considera normale.
■ Si è esausti, svuotati di energia; si vegeta apaticamente alla giornata.
■ Si parla con voce monotona e opaca.

Potenziale nello stato trasformato

■ Ogni giorno si trova un nuovo interesse nella vita.
■ Si affronta la quotidianità senza la sensazione paralizzante della
routine.

■ Si è in grado di abbandonarsi gioiosamente alle proprie leggi interiori.

■ Si vive con un senso di libertà e flessibilità interiore.

Consigli per lo stato Wild Rose

■ Rendersi conto che bisogna decisamente e consapevolmente cambiare i propri programmi mentali negativi.

■ Psicoterapia con lavoro simbolico.

■ Hobby fisici, in cui bisogna reagire in modo flessibile e improvvisare.

☞ *Suggerimenti per frasi programmatiche positive*:

«Ho diritto a tutto ciò che desidero dalla vita».

«Sento che la mia vita sta diventando sempre più bella e interessante».

«Entro completamente nella mia vita».

«Sviluppo programmi vitali nuovi e positivi».

38. WILLOW
Salice giallo
Salix vitellina

Tra le molte specie di salice, questa è facilmente riconoscibile, in quanto d'inverno i suoi rami diventano di un colore oro-arancione intenso. Cresce di preferenza lungo i corsi d'acqua, su terreni umidi e bassi. I fiori maschili e quelli femminili crescono su alberi diversi.

Principio: Willow è collegato alle qualità spirituali della responsabilità di se stessi e del ragionamento costruttivo. Nello stato negativo si ha la tendenza ad attribuire la colpa del proprio stato a cause esterne e spesso si ragiona in maniera negativa e distruttiva.

Nelle giornate negative, ci si lamenta della cattiva sorte, che si accanisce contro di noi. Non si riesce a capire come facciano gli altri ad essere così allegri e spensierati e se ne è quasi invidiosi e si tenta di far passare loro il buon umore. Chiunque conosce queste giornate, in cui non si è in pace con se stessi. Sono l'espressione dello stato Willow passeggero. Purtroppo lo stato Willow negativo può anche diventare cronico e influenzare in maniera distruttiva sia la persona sia il suo ambiente: come una mela marcia nel cesto, prima o poi infetterà quelle sane, così una persona nello stato Willow negativo cronico, sempre di malumore e guastafeste, avrà un'influenza contagiosa sugli altri.

Nello stato Willow negativo, ci si sente dei poveretti, vittime della cattiva sorte che si accanisce contro di noi. «Che cosa ho fatto per meritarmi tutto questo?», «Perché la vita deve essere così ingiusta?» ci si lamenta in continuazione, senza prendere minimamente in considerazione il proprio comportamento.

Nello stato Willow, la persona proietta fortemente all'esterno le proprie delusioni e rabbie. In genere, è uno stato che si riscontra in persone che hanno superato la mezza età e che inconsciamente si rendono conto di quanti pochi ideali e speranze abbiano potuto realizzare.

L'anziano capo reparto che ha per superiore un ex collaboratore si sente calpestato e trattato con sufficienza. «Beh, ora che è diventato qualcosa di più, se lo può permettere...», dice a denti stretti e con espressione sofferente.

I caratteri Willow cronici tengono il broncio e sono circondati da un muro invisibile di negatività.

I caratteri spiccatamente Willow sono in grado di portarsi nel cuore per anni il rancore verso una persona o una situazione, senza mai parlar chiaro. Così facendo, la suocera, che dentro di sé è gelosa della nuora che è andata a vivere con il marito in una casa nuova, rimane formalmente cortese, ma il rapporto sotterraneo è teso. Il fatto di non essere mai completamente aperta verso la nuora, di criticarla sottilmente ogni volta che parla col figlio, è la sua silenziosa vendetta perenne, che si manifesta anche con regolari attacchi reumatici.

Le persone nello stato Willow negativo sono come un vulcano che cova continuamente, che emette fumi pestilenziali, ma che non esplode mai.

Il fatto che la nuora faccia la spesa per la suocera malata e che le lavi e stiri le tende, è accettato come dovuto. Infatti, i caratteri Willow sono capaci di chiedere molto, senza mai dare. Ciò, a lungo andare, estrania chi si avvicina loro con gentilezza o con un atteggiamento di aiuto: gli altri a poco a poco smettono ogni tentativo e si ritirano.

In questo modo un carattere Willow cronico diventa, col passare degli anni, sempre più solo e amareggiato e si ritira sempre più dalla vita. Se prima gli piaceva andare al bowling, ora ci andrà solo raramente, perché «il nuovo proprietario ha un atteggiamento ostile». Se prima andava spesso e volentieri al teatro, ora resta a casa «perché le nuove commedie sono superficiali o negative». Si può girarla e rigirarla come si vuole: nello stato Willow negativo non si riesce a vedere altro che il lato negativo della vita. Esclamazione tipica di un paziente Willow, che si trova sulla strada del miglioramento: «Sto già meglio, ma non come sembrerebbe». Sembra che ci si voglia frenare nel far emergere in se stessi dei pensieri positivi.

Nello stato Willow si è «vittime», e ciò fornisce una scusa davanti a se stessi per non dover assumersi la responsabilità per la propria sorte. Imperterriti, si punta l'indice sul mondo esterno e si rifiuta decisamente di prendere in considerazione l'interrelazione tra gli avvenimenti esterni e il proprio stato interiore. Qual è l'equivoco dello stato Willow negativo? Anche qui, vi è il rifiuto della persona di accettare la guida della propria anima e del proprio Io Superiore. Nello stato Willow, non si condividono i risultati della guida, in quanto si giudica il successo nella vita non rispetto alle sensazioni interiori, ma secondo criteri materiali. Ad esempio, il fatto che non si sia riusciti a mantenere una linea giovanile, a conseguire la laurea, ad acquistare una casa al mare. Non sono forse ragioni sufficienti per essere adirati con il proprio Io Superiore e con la propria sorte? Ma non basta questa rabbia, la personalità cercherà di bloccare anche gli altri tentativi di guida dell'Io Superiore, erigendo «muri» negativi. Anziché collaborare con esso, lo combatte con la resistenza passiva. Così, non danneggia solo se stessa, ma avvelena anche tutto l'ambiente e agisce quindi contro l'unità superiore.

In uno stato Willow negativo ostinato, per prima cosa bisogna imparare ad accorgersi e ad accettare la propria amarezza e la propria negatività. Infatti, prima di aver modificato la considerazione che si ha di se stessi, non si riesce a cambiare niente, neanche all'esterno. In secondo luogo, bisogna rendersi conto che ogni forma d'ira è un nuovo tassello energetico per la crescente negatività, che oscura sempre più il proprio sole. Infatti, ogni sensazione esterna è la conseguenza di una proiezione di pensieri interiori e ogni persona vive in un mondo pensato e creato da essa stessa. Chi si sente una vittima, prima o poi diventerà vittima.

Dove c'è molta ombra c'è anche molta luce. Per uscire da uno stato Willow negativo, bisogna impegnarsi consapevolmente, bisogna concentrarsi sulla parte luminosa degli avvenimenti. L'albero Willow non è soltanto il simbolo del lutto, ma anche della conoscenza illimitata e della saggezza senza fine, in quanto nascono sempre nuovi rami.

Nello stato Willow positivo, ci si rende conto di non essere la vittima, ma il costruttore del proprio destino e che non si hanno possibilità mentali illimitate per costruire positivamente il proprio futuro. Perciò, le persone che hanno superato uno stato Willow negativo, irradiano vede, calma e ottimismo. Infatti, ora sanno che tutti abbiamo nelle nostre mani gli strumenti per diventare gli artefici della nostra infelicità o della nostra felicità.

Nel corso di uno sviluppo spirituale, si cade facilmente in uno stato Willow quando la persona è ancora troppo debole per integrare gli aspetti negativi. Allora tende a rovesciare sugli altri lo scontento di sé, si sviluppano forti pregiudizi, e non si collabora.

Nei malati che passano da un medico all'altro, da un terapeuta all'altro, lo stato Willow è spesso combinato con Vine.

Differenza delle emozioni negative tra Willow e Holly:

Holly:	Più attivi, più aperti; la propria rabbia, il proprio odio, la propria sfiducia vengono esteriorizzati.
Willow:	Più passivi, le sensazioni negative sono dirette verso l'interno e provocano amarezza e la sensazione di essere vittime. La rabbia cova sotto la superficie.

Sintomi chiave

Amarezza, vittimismo, permalosità, rabbia, rancore.

Sintomi nello stato bloccato

■ Atteggiamento amareggiato; si prova rabbia per il proprio destino, e ci si sente trattati ingiustamente.

■ Non ci si sente direttamente responsabili della propria situazione; la colpa è delle circostanze o di altri.

■ Si è convinti che la vita ci abbia privato di molte cose.

■ Ci si sente esposti a una situazione senza sbocco.

■ Si tende a «chiedere» al destino, ma non si è disposti a «dare».

■ Si accetta ogni aiuto da parte di altri come un fatto dovuto e a lungo andare ci si estrania da coloro che ce lo danno.

■ Si sottolinea sempre il lato negativo delle cose e perciò si è ritenuti dei guastafeste.

■ Ci si sente senza potere.

■ Si invidia sorte, salute e fortuna altrui.

■ In casi estremi, si cerca persino di impedire agli altri di essere di buon umore e ottimisti.

■ Pensieri velenosi e rabbiosi a causa dell'amarezza interiore.

■ Si cova la rabbia dentro di sé, senza mai esplodere.

■ Interiormente, ci si rifiuta di accettare la propria negatività e per questo non si riesce a cambiare niente.

■ Nel caso di convalescenza, si ammette difficilmente di stare già meglio.

Potenziale nello stato trasformato

■ Atteggiamento di base positivo, ci si assumono tutte le responsabilità per la propria sorte.

■ Si sono percepiti e accettati i collegamenti tra il proprio pensiero e gli avvenimenti esterni.

■ Si è consapevoli di essere in grado di attirare il positivo e il negativo secondo il principio «come dentro, così fuori», e si lavora consapevolmente in base ad esso.

■ Da «vittima» si diventa «maestri» del destino.

Consigli per lo stato Willow

■ Occuparsi della legge della causa e dell'effetto, del pensiero Karma.

■ Cercare delle occupazioni in cui sia richiesta responsabilità, e che comportino amore e accettazione, ad esempio il lavoro con bambini.

■ Cercare la vicinanza di persone allegre, ad esempio iscriversi a un coro o a un gruppo musicale.

■ Cercarsi hobby creativi, in cui ci si possa «esprimere» e in cui si abbia la sensazione di riuscire.

■ Terapie naturali depurative, ad esempio digiuno, depurativo del sistema linfatico.

☞ *Suggerimenti per frasi programmatiche positive*:

«Prendo la mia vita positivamente in mano».
«Penso, faccio e creo cose positive».
«Mi rendo sempre più conto della legge di causa ed effetto nella vita».
«Elimino ogni residuo negativo».

(39.) RESCUE REMEDY
Gocce per il pronto soccorso o per l'emergenza

Di tutte le essenze di fiori di Bach questa combinazione è la più nota e la più ampiamente diffusa: essa ha salvato la vita a innumerevoli persone in caso d'emergenza, sino all'arrivo del medico. Il soccorso non sostituisce il trattamento medico, ma aiuta a evitare uno shock, in seguito al quale si manifesterebbero gravi danni fisici, o a dissolverlo rapidamente.

Per shock (qui la parola shock non deve essere confusa con l'omonimo concetto medico) o emergenza s'intende qui tutto ciò che scuote o disintegra il nostro sistema energetico: dall'improvviso sbattere di una porta ad una notizia spiacevole, sino all'incidente fisico con perdita della conoscenza. In un simile stato la conoscenza e in particolare le parti più piccole del nostro corpo hanno la tendenza a sfuggire al controllo. Il fisico da solo non ha più allora alcuna possibilità di introdurre le misure di autoguarigione.

Il pronto soccorso provvede a che il sistema energetico non si disintegri o che torni rapidamente a posto. Il processo di guarigione può allora iniziare subito.

Per questo è così importante avere sempre a portata di mano le gocce d'emergenza per poterle prendere o direttamente prima di una scossa energetica attesa o immediatamente dopo. I fiori usati sono:

Star of Bethlehem:	Contro lo spavento e lo stordimento e come «integratore della personalità».
Rock Rose:	Contro il terrore e il senso di panico.
Impatiens:	Contro l'agitazione e la tensione mentale.
Cherry Plum:	Contro la paura di perdere il controllo.
Clematis:	Contro la tendenza a «cedere», contro la sensazione di «essere troppo lontani», che interviene spesso prima di perdere conoscenza.

Lo stock di bottigliette da pronto soccorso prodotte dal Bach-Centre inglese contiene tutti e cinque i fiori già mescolati. Se il soccorso deve essere combinato con altre essenze, vale come primo rimedio. In caso di malattie improvvise o di incidenti le gocce d'emergenza aiutano sia le «vittime» che coloro che solo assistono o i soccorritori. Per il malato è inconsciamente una grande rassicurazione sentire che le persone intorno a lui sono calme, fiduciose e libere da grosse paure. Il loro processo di guarigione viene così sostenuto. Qui di seguito si riportano alcune delle innumerevoli occasioni in cui il pronto soccorso può aiutare quotidianamente:

Quando si è spiritualmente confusi: per esempio dopo un crac familiare, dopo aver ricevuto una lettera spiacevole o quando i bambini hanno assistito ad un film brutale.

Quando qualcosa è imminente: una visita dal dentista, il termine fissato per la separazione, un colloquio di lavoro, gli esami di guida, un'operazione chirurgica.

Quando si è preso un forte spavento: per esempio dopo una brutta caduta o il morso di un cane o la puntura di un insetto.

Quando si è costretti a lavorare in un ambiente stressante: per esempio in una macelleria, in una stazione di pronto soccorso, in una casa d'aste.

Le gocce d'emergenza non devono però diventare un'abitudine permanente. Esse sono pensate per piccole o grandi situazioni d'emergenza spirituali, ma non per equilibrare un modo di vita irragionevole, che disturba la personalità.

Il pronto soccorso viene preparato in una concentrazione due volte più forte rispetto alle altre essenze: 4 gocce dalla serie di bottigliette o dai flaconi di riserva in una fiala da 30 ml.

Il dosaggio è individuabile a seconda del caso e della situazione.

In casi acuti: 4 gocce direttamente dai flaconcini della serie in una tazza d'acqua da somministrare a sorsi, sino a che lo stato di shock diminuisce. Poi somministrare un sorso soltanto ogni 15-30 minuti.

Se non vi è né acqua, né altre bevande a portata di mano si possono somministrare le gocce anche non diluite direttamente dai flaconcini della serie.

In caso di perdita della conoscenza si stillano le gocce dalla fiala di somministrazione, in caso d'emergenza anche dai flaconcini della serie, sulle labbra, le gengive, le tempie, la fontanella, dietro le orecchie o sulle giunture delle mani.

Se il pronto soccorso deve essere somministrato per un lungo periodo, allora si somministreranno quattro volte al giorno quattro gocce dalla boccetta di somministrazione.

Il pronto soccorso può essere adoperato anche esternamente sotto forma di impacchi, cataplasmi, compresse e simili. Si versano circa sei gocce dai flaconcini di riserva in una bacinella con mezzo litro d'acqua.

Per piccole lesioni come scottature, slogature e improvvise eruzioni cutanee il pronto soccorso viene prodotto anche come unguento, che ha dato buoni risultati come coadiuvante nei massaggi «prima di spalmare il lubrificante», così come per prevenire le irritazioni cutanee a causa dello sport (corsa, tennis, ecc.).

Per il trattamento di animali si somministrano da due a tre gocce dal flacone di riserva nell'acqua da bere o nel cibo.

Per gli shock accusati dalle nostre piante il pronto soccorso ha un ampio campo di impiego: in seguito al cambio del vaso, al trapianto per talea, all'effetto del freddo o dei parassiti, si mettono tre-quattro gocce dal flaconcino di riserva nell'acqua per innaffiare. Con esso si innaffia per due-tre giorni o si spruzzano le foglie. Le possibilità di impiego delle gocce di emergenza sono quasi illimitate come mostrano i seguenti casi:

1. Un soldato della marina era impiegato in guerra in un sottomarino. Esternamente egli appariva sempre calmo e sereno, ma perdeva tutti i capelli e i peli del corpo. Tutte le cure mediche rimasero senza esito. Poiché si presumeva che questa perdita di capelli fosse causata da paura repressa, shock, spaventi, egli ricevette il pronto soccorso da assumere per via orale e come frizioni. Dopo qualche settimana l'intero cuoio capelluto era di nuovo coperto dai capelli.

2. Una partecipante a un campo di meditazione si tagliò, nel pulire le verdure, un polpastrello per tre quarti. La ferita sanguinava molto e non c'era alcun medico nel circondario che si potesse chiamare. Come pronto soccorso ella ricevette ogni due minuti le gocce di emergenza da bere in acqua e una fasciatura per fermare l'emorragia. Arrestata l'emorragia, fu spalmata cautamente la crema di emergenza sulla ferita e il dito e il polpastrello furono fasciati. La fasciatura e la crema furono rinnovate ogni due ore. Già dopo i primi quindici minuti la giovane donna non aveva più dolore, ma sentiva soltanto ancora una leggera pulsazione nel dito. Durante tutto il giorno seguente la fasciatura fu cambiata ogni tanto. Il terzo giorno non era più necessaria alcuna fasciatura poiché la ferita si era chiusa e guarì in modo visibilmente rapido. Il quinto giorno il dito era completamente guarito. Soltanto una piccola linea tradiva il posto dove era avvenuto il taglio.

3. Resoconto di una coppia americana: «Eravamo invitati. Poco prima di andare mia moglie volle ancora cambiare rapidamente l'acqua alla boccia dei pesciolini rossi. Nella fretta si sbagliò con la temperatura dell'acqua. I pesci accusarono uno shock. Con movimenti molto deboli delle branchie si trascinarono, come senza vita, di lato vicino la superficie dell'acqua. Velocemente mettemmo più gocce di emergenza nel recipiente dei pesci e nel giro di un'ora essi si erano completamente ripresi. La proprietaria del negozio di animali ci confermò di non avere ancora sentito di pesci rossi che erano sopravvissuti a simile shock». (Da Gregory Vlamis, *Flower to the Rescue*, caso 3.)

4. «Nella località di mare dove trascorro le vacanze, dopo un temporale, quattro turisti tornarono in hotel completamente sfiniti e confusi. Si erano aggirati per ore in mare dopo che la barca aveva avuto un guasto per il temporale. A due di essi potei dare *Rescue*. Si ripresero rapidamente e nel giro di poche ore erano ritornati quelli di prima. Gli altri due impiegarono due giorni a riprendersi da questo avvenimento». (Da Gregory Vlamis, *op. cit.*, caso 4.)

5. Resoconto di un poliziotto: «Dovevo mettere a protocollo l'aggressione di una signora. Ella era ancora talmente agitata da non essere in grado di descrivere i particolari precisi dell'accaduto. Le diedi una dose di *Rescue*, con conseguente effetto immediato. La donna potè fornire il resoconto completo dall'inizio alla fine dettagliatamente; per l'esattezza del protocollo il malfattore potè essere arrestato poco più tardi». (Da Gregory Vlamis, *op. cit.*, caso 5.)

V

I FIORI DI BACH NELLA PRATICA

A. PREPARAZIONE, FLACONI, DOSAGGIO

Preparazione: le essenze di Bach fornite dal Centro Bach in flaconcini di riserva o bottigliette sono concentrate e devono essere diluite prima dell'uso con una miscela di ca. 3/4 di acqua e 1/4 di alcol per ottenere la concentrazione per la somministrazione. Edward Bach utilizzava acqua di sorgente naturale. Oggi si prende preferibilmente un'acqua di sorgente senza acido carbonico in un negozio di prodotti dietetici. L'acqua distillata è acqua morta e perciò non adatta come eccipiente.

Alcol: serve alla conservazione delle gocce; ciò è necessario particolarmente con le temperature estive, quando l'acqua diventa subito marcia o quando le gocce devono essere prese per un lungo periodo. Per una combinazione di essenze che deve essere somministrata solo per pochi giorni, la conservazione con l'alcol non è necessaria. In luogo del brandy adoperato da Edward Bach, possono essere usati anche aceto di frutta, alcol di vino o altri alcol possibilmente puri al di sotto del 50%.

La diluizione standard per l'assunzione per via orale è 1 goccia in 15 ml. Ciò significa per esempio che si mettono 2 gocce dal flaconcino della riserva in un flaconcino farmaceutico da 30 ml, predisposto con acqua e alcol, e si prepara così il cosiddetto flacone per la somministrazione. Per preparare ad esempio una miscela di tre essenze diverse, si stillano quindi 2 gocce (eccezione: prendere dal flaconcino della serie di *Rescue* 4 gocce invece di 2) dalle varie bottigliette della serie nel flacone per la somministrazione riempito in precedenza con acqua ed alcol. Agitare bene la miscela prima della somministrazione.

Flaconi: i più adatti sono i flaconi scuri con contagocce a pipetta, disponibili in farmacia nelle misure da 10 sino a 50 ml.

Dosaggio: il dosaggio standard è di almeno 4 gocce, 4 volte al giorno: per prima cosa al mattino; a mezzogiorno 20 minuti circa prima di mangiare; al pomeriggio verso le 17.00 a stomaco vuoto e in ultimo la sera; a seconda delle esigenze anche più spesso. Preferibilmente però si stillano le gocce con la pipetta direttamente sulla o sotto la lingua. Prima di deglutire bisognerebbe trattenere le gocce un momento in bocca, perché l'assorbimento perlinguale ne aumenta l'efficacia.

In stati acuti la frequenza del dosaggio può essere elevata notevolmente. Si somministra quindi una dose di 4 gocce ogni 10-13 minuti, sino a quando intervengono i segni di un miglioramento. Alle persone molto sensibili bastano dosi anche minori: per esempio 2 gocce, 2 volte al giorno.

Un'altra importante forma di assunzione è il metodo del bicchiere d'acqua, che può essere indicato in casi particolarmente acuti: si stillano da ognuna delle bottigliette prescelte 2 gocce in un bicchiere d'acqua e lo si beve tutto, distribuendolo durante il giorno.

B. ALTRE POSSIBILITÀ D'APPLICAZIONE

Impacchi: Bach li prescriveva in aggiunta all'assunzione delle gocce per le manifestazioni esterne concomitanti, come per esempio eruzioni cutanee e infiammazioni. Si versano ca. 6 gocce dal flacone di riserva in una bacinella con mezzo litro d'acqua.

Bagni: molti amici di Bach hanno fede assoluta nei bagni con determinate essenze, per esempio Hornbeam e Crab Apple, contro lo sfinimento. Essi somministrano ca. 5 gocce dai flaconcini della serie in un bagno completo.

Terapeuti sensitivi prescrivono le essenze di Bach anche nei seguenti modi:

• «In stato acuto portare inoltre il flacone sul corpo per qualche giorno». Non indicato come misura continuativa.
• «Lasciare la miscela all'inizio della notte a una distanza di ca. 20 cm dal letto». Qui le essenze floreali sembrano influenzare favorevolmente l'elaborazione nel sogno di blocchi spesso molto indietro nel tempo. Spesso sono indicati Honeysuckle, Star of Bethlehem, Rock Water o Walnut. Anche questo metodo non è indicato per tutti.
• «Sui centri di energia (Chakra)»: nei circoli di yoga le essenze anziché sulla lingua vengono talvolta stillate direttamente su determinati Chakra.
• Nella «meditazione» su un dato concetto dell'anima, bisognerebbe porre il flacone di riserva, per la durata della meditazione, a una distanza di ca. 20 cm da sé.
• Le possibilità di applicazione citate per ultime sono d'interesse marginale. Esse sono impiegate da terapeuti che hanno una buona disposi-

zione, un solido esercizio e molta esperienza in questo ambito. Chi non possiede tutto ciò, dovrebbe attenersi, anche secondo il consiglio energico del centro Bach inglese, esclusivamente al metodo originale di Edward Bach, che ha provato la sua efficacia per 50 anni.

C. DOMANDE FREQUENTI

1. *Domanda*: quanto dura solitamente una seduta con un consulente del metodo Bach?

Risposta: in realtà non dovrebbe esserci alcuna norma, poiché con le essenze di Bach si lavora in modo del tutto individuale, l'uno più rapidamente, l'altro più lentamente.

Lo scambio di esperienza di molti terapeuti che lavorano in modo simile dimostra che per scoprire realmente come stanno le cose sono consigliabili per la prima seduta almeno da 60 a 90 minuti. Per le sedute successive di regola da 40 a 60 minuti.

2. *Domanda*: a quali intervalli è consigliabile che avvengano i consulti? Quando devono essere sostituite le combinazioni delle essenze?

Risposta: a questo proposito vi sono diverse risposte. Nel centro Bach inglese solitamente le combinazioni di essenze vengono determinate nuovamente dopo 4 settimane, ovvero quando il flacone è vuoto.

Là si procede secondo le seguenti regole:

Se la combinazione di essenze giova, la si somministra sino a che spariscono i disturbi. Se nel corso dell'«assunzione interviene un nuovo stato, allora si aggiunge alla combinazione l'essenza adatta indicata».

Consulenti che lavorano con tecniche diagnostiche sensitive e che «interrogano» gli intervalli, sperimentano di volta in volta secondo il tipo di problema, l'intensità del blocco e la sensibilità del paziente in cicli tra 16, 28, 49 o 72 giorni. Talvolta qualcuno necessita di un rimedio per minor tempo: una settimana, un giorno o soltanto poche ore. In questo caso applicare il metodo del bicchiere d'acqua.

3. *Domanda*: quante settimane o mesi dovrebbe durare una Bach-terapia?

Risposta: non si può dare una risposta generalmente obbligatoria. Dipende dal problema, dall'età e dal carattere del paziente. In stati acuti, per esempio in caso di shock per una perdita o di paura per un cambiamento incisivo, le essenze di Bach aiutano specialmente i giovani, spesso nel giro di poche ore o giorni. Più a lungo sussiste il blocco spirituale più cronico è lo stato, più tempo passa sino a che si mostra un miglioramento evidente. Si registrano da 1 a 20 mesi.

Coloro che adoperano i fiori di Bach innanzitutto per l'autosviluppo, li riprendono sempre ad intervalli, spesso per anni, poiché necessariamente nel corso dello sviluppo intervengono sempre nuove esperienze e crisi spirituali.

4. *Domanda*: quanti fiori di Bach si possono assumere insieme contemporaneamente?

Risposta: il centro di Bach inglese dice al massimo sei o sette; certamente qui non vale il principio «tanto più, tanto meglio», ma al contrario: «meno è meglio».

Pochi fiori scelti bene, che centrano più precisamente il problema attuale, portano per lo più alla scomparsa anche dei sintomi concomitanti minori.

Ciononostante è molto raro che venga usato, nella essenzo-terapia, così come nell'omeopatia tradizionale, un solo fiore. Poiché i fiori di Bach, come famiglia spirituale, armonizzano tutti insieme, è meglio aggiungere un fiore in più nella combinazione, anziché rischiare di non scoprire un fattore importante nella concezione disarmonica dell'anima e perciò mettere in questione l'efficacia dell'intera miscela. L'esperienza mostra che in stati spirituali gravi, in particolare all'inizio di una terapia con i fiori di Bach, possono essere usati persino più di sei rimedi. Questo numero si riduce solitamente nel corso della terapia.

D. LE COMBINAZIONI EFFICACI

L'essenzo-terapia di Bach si distingue per l'alto grado di individualità. La consegna di miscele standard è perciò problematica, poiché si discosta dalla realtà così come dall'idea fondamentale di Edward Bach.

Poiché ogni individuo è sempre unico nella sua problematica, ognuno ha bisogno della sua combinazione individuale di essenze. Le «combinazioni efficaci», qui riportate in parte da un manuale inglese di Bach, agiranno quindi solo nei casi in cui gli stati spirituali corrispondenti siano tipici per le personalità che le assumono. Ciò vale anche per le combinazioni di rimedi pubblicate altrove.

Combinazione contro l'onicofagia:

Agrimony:	Contro i timori interiori repressi.
Vine:	Perché da un lato il proprio volere riuscirà a spuntarla.
Pine:	Contro i sensi di colpa che si manifestano contemporaneamente al desiderio di farcela.

Combinazione per la paura degli esami:

Gentian:	Contro il dubbio e lo scoraggiamento.
Elm:	Contro la sensazione transitoria di non essere all'altezza della situazione.
Clematis:	Contro l'assenza spirituale.
Larch:	Contro la mancanza di fiducia in se stessi.
Chestnut Bud:	Per una migliore concentrazione.

Combinazione per il primo giorno di scuola:

Honeysuckle:	Contro la «nostalgia di casa».
Mimulus:	Contro l'insicurezza e la paura di nuove situazioni.
Walnut:	Per il mutamento in una nuova fase di vita.
Olive:	Contro l'esaurimento che sussiste a causa di uno spreco elevato di energie.

Combinazione da viaggio contro il mal di mare, d'auto e d'aria:

Scleranthus:	Contro i disturbi dell'equilibrio.
Rescue:	Contro l'agitazione in generale.

In alcuni libri in lingua inglese si trovano dati su quali essenze si presentano frequentemente nelle combinazioni. I confronti di diversi terapeuti fra loro non hanno, come si può vedere chiaramente, nessun tipo di concordanza. Importanti fattori d'influenza sembrano essere, per le combinazioni di essenze che compaiono più frequentemente, la regione e il tipo umano che vi abita.

VI

ESPERIENZE TERAPEUTICHE

Le seguenti esperienze sono state raccolte da più terapeuti che utilizzano il metodo di Bach in vari paesi. Esse però devono essere considerate, in quest'epoca di rapidi cambiamenti, solo come status quo. Ciò vale in particolare per i dati numerici.

A. FORME DI REAZIONE

Le reazioni alla prima assunzione delle essenze di Bach sono individualmente così disparate quanto gli uomini che le ricevono.

In individui sensibili si può vedere il contatto preso dall'essenza floreale con l'Io Superiore già alcuni secondi dopo la prima assunzione: l'espressione degli occhi diviene più morbida, si può realmente dire «piena di sentimento». Spesso un profondo sospiro di sollievo mostra l'immediato alleggerimento energetico.

Nel corso delle successive assunzioni ognuno reagisce secondo il suo tipo alle essenze di fiori di Bach.

Chi nella quotidianità tende a un'elaborazione drammatica delle sue esperienze, reagisce drammaticamente anche alle essenze, per esempio con forti cambiamenti d'umore o con sogni pieni d'azione.

Alcuni riferiscono i pensieri venuti loro immediatamente che prima non avevano mai avuti. Altri prendono decisioni nella vita di tutti i giorni che solo poche settimane prima avevano ritenuto impossibile. Altri ancora non sperimentano a tutta prima niente di rilevante, ma affermano, dopo qualche settimana o mese, di essere più aperti, più stabili, più contenti, «più se stessi».

Gli individui che sono aperti e interessati di fronte al mondo immateriale, reagiscono ai fiori più rapidamente di coloro che rifiutano per principio tali pensieri e che vogliono inconsciamente mettere sempre a tacere la voce del proprio Io Superiore e che quindi tendono a reprimere i loro problemi.

Alcuni sopprimono immediatamente i primi segnali dall'inconscio con reazioni psicosomatiche di difesa, come per esempio mal di testa, leggera nausea, oppure perdono «inavvertitamente» il flacone dell'essenza.

Gli anziani, specialmente se hanno anche malattie croniche, reagiscono di regola più lentamente ai fiori di Bach, perché le loro strutture spirituali sono più fortemente consolidate. Sono necessari in genere 12-18 mesi affinché si noti un mutamento riconoscibile nella personalità ed eventualmente un'influenza positiva sulla malattia cronica.

Anche per coloro che soffrono di malattie congenite o cosiddette inguaribili, i fiori di Bach non sono mai rimasti senza efficacia. Il contatto spirituale ristabilito richiama un mutamento conscio o inconscio dell'atteggiamento nei confronti della malattia, che si mostra sempre con una maggior serenità, pace spirituale e irradiazione positiva. Molti pazienti ricoverati in ospedale nello stadio finale, grazie al benefico effetto delle essenze di Bach hanno potuto trascorrere i loro ultimi giorni di vita più liberi dai dolori, più armonicamente e umanamente.

B. INTORNO AL TEMA «EFFETTI COLLATERALI»

I fiori di Bach sono vibrazioni pure e armoniche di energia e non causano assolutamente alcun effetto collaterale. Quello che certamente può presentarsi di quando in quando è, similmente a quanto accade nell'omeopatia, una prima reazione, un'intensificazione dei sintomi.

Ciò significa che ci si può sentire per breve tempo peggio di prima. E ciò per una buona ragione. Si pensi a qualcosa che prima era sordo o paralizzato che viene immediatamente irrorato dalla vita. Un pensiero doloroso, represso per anni, entra improvvisamente nel pieno della coscienza. Ogni ampliamento della coscienza richiama regolarmente una reazione contraria nell'inconscio. Anche nella medicina naturale ogni crisi di guarigione avanza con l'eliminazione di tossine. Lo stesso accade sul piano intellettuale-spirituale se si assumono i fiori di Bach, poiché si tratta in questo caso di una «cura purificante» dello spirito dai veleni spirituali (sentimenti negativi).

Certamente si può essere sicuri che mai emerge dall'inconscio più di quanto si è capaci di rafforzare ed elaborare.

Con i fiori di Bach non si può provocare artificialmente una crisi di guarigione, poiché l'energia floreale sostiene soltanto l'Io Superiore o il medico interno, che conduce al meglio il decorso.

C. PROBABILI FALLIMENTI

Questo contributo, pubblicato in «Bach-Newsletters», proviene da

J. Evans, una specialista del metodo di Bach legata strettamente al Bach-Centre e con una lunga esperienza. Chiunque si occupi intensivamente dei fiori farà esperienze simili. Ella scrive:

> Accade di far perdere il coraggio ai nostri pazienti, perché apparentemente le essenze floreali non rispondono nel modo giusto. Può persino capitare che nella loro delusione i pazienti interrompano il trattamento e noi ci rompiamo la testa sulle ragioni del fallimento. Quando interviene un tale presunto fallimento, non ci dovremmo lasciar scoraggiare, poiché vi sono diversi fattori che si devono prendere in considerazione come cause.

La malattia come occasione per imparare

Spesso una malattia organica è indice del fatto che l'individuo necessita di riposo o che almeno deve ridurre drasticamente la quantità di attività. Talvolta è persino necessario un cambiamento completo del modo di vivere. Questo cambiamento non sarebbe mai iniziato senza l'intervento della malattia. Una prematura regressione della malattia dovuta all'assunzione di un'essenza floreale renderebbe vano del tutto il senso e lo scopo di questa malattia.

Il momento inopportuno

Può anche essere che una parte della lezione che si doveva imparare attraverso questa esperienza di malattia non sia stata appresa del tutto e che perciò il periodo della malattia debba durare come ulteriore possibilità di apprendimento. Quando tuttavia il trattamento sarà giunto ad un punto successivo e maturo, le essenze floreali mostreranno l'effetto desiderato e spesso in un tempo sorprendentemente breve.

Il malato non vuole separarsi dalla malattia

Vi sono pazienti che, a causa di un'insoddisfazione interiore o di una noia patologica, tornano sempre con nuovi sintomi di disturbi leggeri, per esempio mal di testa, stanchezza, malesseri diffusi, dolori momentanei e così via. Questo tipo di paziente vorrebbe necessariamente prendere le essenze di Bach e dice: «So che mi aiuteranno». Ciò accade inoltre sino a quando non arriva il prossimo attacco di insoddisfazione ed egli necessita di un nuovo «trattamento». Questi non sono pazienti molto grati, poiché dipendono tanto dalle loro sofferenze da riattivarle sempre inconsciamente. Accade realmente che gli individui non vogliano liberarsi dalla loro malattia perché attraverso essa possono per esempio esercitare il loro potere su altri, sottrarsi alla responsabilità o suscitare compassione. Possibilmente essi hanno sperimentato molte terapie e nessuna «ha giovato veramente», il che quindi può accadere anche con le essenze floreali.

La ragione è che essi non possono veramente rinunciare ai loro disturbi perché sono loro troppo utili.

Rifiuto deliberato

Infine ci sono anche coloro che non ammettono interiormente che i fiori di Bach li aiutino perché semplicemente non vogliono credere che questi giovino. Col fatto che non si aspettano quindi alcun risultato dal trattamento, anzi internamente quasi sperano che non arrivi nessun effetto, essi creano deliberatamente un blocco che rende impossibile il fluire delle forze guaritrici. (Ciò può accadere per esempio quando i pazienti sono stati convinti da parenti bene intenzionati contro il loro volere.)

Troppa poca perseveranza

Altri pazienti non lasciano ai fiori di Bach abbastanza tempo per agire. Se non intervengono subito mutamenti del tutto visibili, definiscono l'intera terapia come un fiasco. Essi non considerano che alcune condizioni che per lungo tempo essi hanno costruito possono essere fatte regredire soltanto gradatamente, il che necessita di un tempo considerevole. Essi si arrendono troppo presto; con una maggiore perseveranza sarebbe intervenuto l'effetto desiderato. Ci sono molte ragioni e circostanze per i disturbi. Possa questa considerazione aiutare a ottenere la visione dei diversi aspetti del processo di guarigione, e del fatto che non sono i fiori di Bach ad avere fallito ma la nostra comprensione, che per molti fattori influenzanti ancora nascosti è del tutto imperfetta.

D. I FIORI DI BACH ASSOCIATI
AD ALTRE FORME DI TERAPIA

Come abbiamo già detto, le essenze di Bach lavorano molto armonicamente insieme ad altre forme di terapia, particolarmente con tutte quelle che sono totalmente affini.

Di regola è molto fruttuosa la combinazione con la psicoterapia. Una psicoterapeuta riferisce: «Nel corso della terapia con il metodo di Bach, la psicoterapia si avvia meglio. Si arriva prima a un punto essenziale. I problemi collaterali che minacciano di arrestare la terapia vengono risolti più rapidamente. Persone refrattarie alla terapia dopo un periodo di trattamento con le essenze di Bach diventano molto spesso recettive alla terapia».

Perfino nei cosiddetti casi disperati i fiori di Bach mostrano un effetto alleviante e rendono i pazienti più sereni e più disponibili. Nel trattamento di malattie croniche, la terapia con il metodo di Bach spesso rappresenta la svolta decisiva perché le cause profonde della malattia diventino interiormente accessibili al paziente.

I fiori di Bach sono compatibili con ogni medicamento, anche con le alte potenze omeopatiche e gli psicofarmaci. I primi vengono normalmente resi più intensivi nella loro efficacia, gli ultimi vengono spesso sospesi a poco a poco per desiderio del paziente stesso.

E. I FIORI DI BACH NELLE GESTANTI, NEI NEONATI, NEI BAMBINI

Nel quinto capitolo di *Guarisci te stesso* Bach descrive il vero rapporto tra genitori e bambini. Chiunque abbia a che fare con bambini dovrebbe sempre far tesoro di ciò che viene detto là. Beninteso l'essere genitori è uno dei nostri privilegi divini. Essere genitori significa dare la possibilità a una giovane anima di venire su questo pianeta per realizzare il proprio sviluppo in un corpo fisico.

Significa inoltre dare a quest'ultima nei suoi primi anni di vita tutta la guida e le cure morali, spirituali e fisiche possibili. Anche la psicologia moderna ha riconosciuto che i disturbi psichici più frequenti sono causati nei primi sette anni di vita, ma particolarmente nel primo anno. È manifesto che molti disturbi palesi possono essere evitati nella vita successiva quando si fa crescere un bambino fin dal primo giorno con i fiori di Bach. Questo primo giorno cade già nella gravidanza.

Gravidanza. Una terapia con i fiori di Bach che armonizzi la madre durante la gravidanza può essere solo di vantaggio per il bambino, così come tutto ciò che è armonico e bello in questo periodo. È accaduto che le donne con la tendenza ad abortire hanno trattenuto per la prima volta il bambino dopo l'assunzione dei fiori di Bach. La diagnosi qui non è diversa che in altri periodi della vita. Certamente l'esperienza mostra che la disposizione di umore durante la gravidanza cambia più rapidamente e che i modelli di comportamento che si pensava di avere abbandonato da tempo compaiono improvvisamente con intensità nuova. Qui bisognerebbe cambiare più spesso la combinazione analogamente agli stati cangianti. Quando si avvicina il momento del parto, molte giovani madri diventano paurose ed entrano in forte tensione. Per questi stati bisognerebbe pensare a Mimulus, in casi estremi a Rock Rose, inoltre a Impatiens e a Vervain. Molte donne che qualche giorno prima del parto cominciano a prendere *Rescue* hanno un parto facile e si riprendono velocemente dagli strapazzi. Una levatrice di Ibiza che impiega con grande successo i fiori di Bach nel suo lavoro definisce il suo aiuto durante il parto *veloce* ed *emozionante*.

Un esempio: in una madre di ventotto anni, persona energica ed equilibrata, il travaglio si svolse senza problemi sino all'inizio della fase di espulsione. Questa durò novanta minuti e la giovane donna sembrò perdere improvvisamente tutta la forza e la fiducia in se stessa. Ella ricevette Aspen, Mimulus, Rock Rose, Hornbeam e Oak, qualche goccia dopo ogni doglia. Già dopo la prima somministrazione l'espressione del suo volto era completamente mutata. Ella era pronta a mutare il suo stato e immediatamente dopo sentì che il parto doveva essere imminente. Ogni nascita per quanto possa aver luogo facilmente è sempre per la madre e il bambino uno shock energetico. Qui giova a entrambi Star of Bethlehem. Se la madre ha iniziato già prima del parto a prendere *Rescue* dovrebbe continuare ancora qualche giorno dopo il parto. In questo caso ella non ha bisogno ovviamente di Star of Bethlehem.

Neonati. A questo punto sorge frequentemente la domanda: «Come si trovano i fiori giusti per i neonati?», dato che non può esserci alcuna informazione sul loro stato spirituale. Ciò è però più facile di quanto si pensi, poiché i neonati mostrano i loro sentimenti in modo immediato. Vi è per esempio il neonato Agrimony, sempre di buon umore, che piange solo se gli manca qualcosa di serio. Il neonato Chicory reagisce subito impaziente se la persona che rappresenta il suo punto di riferimento osa occuparsi anche per una volta di qualcos'altro. Un neonato che viene spaventato ed irritato da tutto e da tutti reagisce per lo più bene a Mimulus; del tutto tipico è anche il neonato Clematis, che sembra vivere nel proprio mondo. Dorme molto e non ha alcun interesse per i pasti giornalieri.

Nella diagnosi per i neonati bisogna fare attenzione anche ai fiori presi dai genitori nello stesso periodo, in particolare dalla madre. A causa del forte legame energetico in questa fase della vita, la maggior parte dei fiori nella combinazione madre e lattante sono identici.

Sul problema della diagnosi presentiamo anche la seguente interessante osservazione:

Ad un neonato sensibile furono posti nella culla l'uno dopo l'altro tutti i flaconi di riserva in discussione, e poi successivamente allontanati. Per i fiori di cui aveva bisogno, questi iniziò a sorridere o a gorgogliare piacevolmente, per quelli di cui non aveva bisogno, reagì con lamenti o con altri gesti di difesa.

Normalmente, il dosaggio per i neonati è uguale a quello degli adulti, poiché con i fiori di Bach è escluso un dosaggio eccessivo. Si danno quindi 4 x 4 gocce dal flacone della somministrazione nel latte. Le madri che allattano assumono esse stesse le gocce. In questo caso naturalmente le gocce verranno impiegate senza alcol.

Alcuni terapeuti sono dell'opinione che nel primo anno di vita non sia consigliabile impiegare più di tre fiori contemporaneamente. Inoltre non bisognerebbe somministrare i fiori a lungo. In caso di malattie acute si cambiano i fiori parallelamente al mutare dell'umore del bambino. In casi estremi, occorre cambiarle nel giro di poche ore.

Se inizialmente non è riconoscibile nessuna reazione, bisogna orientarsi sullo stato d'animo dei genitori. Se per esempio i genitori temono il peggio, questi e il neonato assumono Rock Rose. Se, anche in presenza del medico, si nota chiaramente il perdurare della paura, allora è indicato Mimulus. Se nel corso della malattia lo stato del neonato migliora, tanto che egli ha nuovamente una reazione emozionale, ci si orienta allora nell'ulteriore trattamento esclusivamente sulle reazioni del neonato. Nel nostro esempio gli si darebbe Impatiens.

Bambini. I bambini reagiscono meglio e più presto degli adulti alle essenze di Bach, perché i loro modelli di comportamento sono ancora poco consolidati e le resistenze mentali non sono ancora presenti. Non riflettono molto ma vogliono soltanto una cosa: essere al più presto possibile di nuovo in buona salute.

I bambini sono per lo più facilmente in grado di afferrare da sé l'essenza necessaria tra i trentotto flaconi di riserva ed essi non si lasciano deviare più dalla loro scelta. Spesso si riferisce di bambini che ricordano spontaneamente ai genitori che è di nuovo il momento di prendere le gocce. Così come i neonati anche i bambini non dovrebbero prendere molte essenze contemporaneamente. Spesso necessitano di dosi minori e di minori intervalli di tempo nel cambio delle singole combinazioni delle essenze. Non c'è niente di più impressionante e di più incantevole dell'osservare come i bambini reagiscano eccezionalmente ed individualmente sino a quando il cammino verso la loro anima non è scosso dalla «serietà della vita».

Non viene rilevato abbastanza quanto sia importante aiutare i bambini con le essenze di Bach già nell'età in cui non sono ancora aperti ad argomenti logici. Così possono resistere agli inevitabili mutamenti e delusioni della vita, senza che rimangano deformazioni psichiche.

La frase «prevenire è meglio che curare» acquista qui tutto il suo significato. Se per esempio la vivace Katrin, sempre mentalmente sveglia, torna dalla scuola un giorno insolitamente stanca, taciturna e assente mentalmente e la nonna dice «vediamo che malattia sta covando», non bisognerebbe accontentarsi di questa affermazione, ma somministrarle subito un paio di gocce di Clematis e osservare come ella dallo stato della «assenza completa» ritrovi nuovamente tutta la sua normale vivacità e sveltezza. Una malattia organica forse non ha bisogno di essere «covata», e se essa pur non di meno si manifesta, normalmente ha un decorso più breve e più facile che per le cor ipagne di scuola di Katrin.

I fiori di Bach hanno potuto aiutare decisamente molti bambini nelle difficoltà scolastiche.

Un esempio: un ragazzino di otto anni a scuola era molto lento e indietro nell'apprendimento. Durante la lezione si mostrava apatico e senza interesse. Il comportamento nei confronti dei suoi compagni di classe era asociale, arrogante e imprevedibile. A volte era aggressivo con i compagni e anche con i professori. Il direttore comunicò infine ai genitori che egli era insopportabile per la classe e che doveva essere trasferito in una scuola speciale. La terapia con il metodo di Bach era l'ultimo tentativo.

Il terapeuta osservò il ragazzo per un po' di tempo. Notò che giocava volentieri a scacchi da solo e aveva in mente sempre tre o quattro mosse anticipate. Gli prescrisse Chestnut Bud per la sua debolezza di apprendimento che in realtà era da ricondurre alla sua forte dinamica interna. Sulla base della stessa considerazione ricevette anche Impatiens che doveva giovare contro il suo atteggiamento asociale all'interno della classe, infine ancora Mimulus contro il suo atteggiamento generalmente riservato.

Egli prese questa combinazione per due settimane. Il rendimento scolastico, l'interesse alla lezione e la partecipazione migliorarono contro tutte le aspettative. Poiché però era sempre brutale con i suoi compagni di classe e inoltre adesso aveva incubi e sonnambulismo gli si diede in aggiunta Holly e Aspen. Dopo altre due settimane non ebbe più alcuna avversione verso i suoi compagni e iniziò perfino a stringere amicizia. Durante la notte ricominciò a dormire senza disturbi.

F. LA TERAPIA DI BACH PER GLI ANIMALI

Gli animali reagiscono ai fiori di Bach spesso più rapidamente degli uomini. Le terapie sono molto brevi, normalmente da tre a dieci giorni.

Per una diagnosi per animali si procede come per la diagnosi per uomini. Si cerca di intuire lo stato d'animo dell'animale. Si osserva come si sente l'animale. Un cane può per esempio essere un tipo Heather che sta volentieri sulla scena e ha sempre continuamente qualcosa cui abbaiare. Ci sono cani Chicory che rimangono incessantemente al tallone dei loro padroni ed esigono attenzione. I gatti sono spesso caratteri Water Violet. Mimulo giova ai gatti nervosi. Come la madre e il bambino, «il padrone e il cane» spesso hanno bisogno delle stesse essenze. In molte manifestazioni patologiche acute, come per esempio incidenti, morsi, fratture, flatulenza, vomito cronico, le gocce di emergenza hanno salvato la vita a molti animali.

Si danno quattro gocce dal flacone di riserva sul cibo o direttamente nelle fauci. Per molte ferite giovano gli impacchi: sei gocce del flacone di riserva in mezzo litro d'acqua. In caso di necessità si possono bagnare punti del corpo ferito con delle gocce direttamente dal flacone di riserva.

Ecco un caso divertente di terapia degli animali, tratto dalla raccolta di casi del centro Bach inglese:

Un gigantesco San Bernardo era estremamente sensibile ai rumori improvvisi. Non sarebbe stato tragico se non fosse vissuto in campagna, dove nei dintorni si cacciava molto. Contro la sua paura dei rumori fu aggiunto Mimulus all'acqua da bere e gli giovò sorprendentemente. Come effetto collaterale strano avvenne quanto segue: in questa casa vivevano due topi che si dedicavano durante la notte alla ricerca del cibo e che in questa occasione vennero in contatto con l'acqua da bere del San Bernardo. Dopo qualche giorno i topi comparvero improvvisamente impavidi in pieno giorno, e ogni tentativo di scacciarli li lasciò indifferenti. La padrona del cane riferì di essersi potuta avvicinare a un topo fino a trenta centimetri urlando forte. Come risposta il topo si girò soltanto e guardò calmo la donna, prese serenamente una briciola di pane e se ne andò a passettini indisturbato. Si arrivò a questa minima reazione probabilmente perché i topi erano «disinibiti» da Mimulus e dall'alcol presente nell'essenza floreale.

G. LA TERAPIA DI BACH PER LE PIANTE

Già dal libro di Tompkin *La vita segreta delle piante* sappiamo che le piante possono soffrire shock, paura, scoraggiamento, indecisione ecc. Avvenimenti come il cambio di vaso, l'inaridimento, le cadute vengono sopportate meglio dalle piante con la terapia floreale. Fondamentalmente bisognerebbe che in ogni combinazione per le piante ci fosse Rescue come rimedio di base e, in aggiunta, gli altri fiori che sono indicati di volta in volta nella situazione. Le piante colpite da parassiti guariscono con Crab Apple e Agrimony. Quest'ultima contro il malessere che esse non possono esprimere.

Hornbeam dà nuova forza alle piante stanche, malate e svigorite.

Le tre combinazioni seguenti sono riportate da amici di Bach e giardinieri amatori. Mettere dieci gocce dalla serie di bottiglie di ogni essenza floreale in un grosso annaffiatoio.

Combinazione per la crescita
(per semi e piantine)

Vine:	Aiuta a perforare i gusci duri dei semi.
Hornbeam:	Dà ulteriore forza per lo stress della crescita.

| Olive: | Supera lo sfinimento provocato dal processo del germogliamento e della crescita. |
| Rescue: | Contro tutti gli influssi esterni. |

Combinazione da giardino

Crab Apple:	Contro parassiti di ogni tipo.
Walnut:	Per il passaggio da una fase di crescita alla successiva.
Rescue:	Contro gli influssi esterni.

Combinazione per i fiori recisi

Walnut:	Per il cambiamento di ambiente.
Wild Rose:	Per le corolle che pendono apatiche particolarmente in inverno.
Rescue:	Contro le influenze esterne.

VII
DOMANDE E RISPOSTE

Domanda: Se mangio i fiori freschi di ginestra, posso raggiungere lo stesso effetto come con il fiore di Bach Gorse?

Risposta: No. I fiori organici mangiati agiscono sul corpo organico; per esempio, tra l'altro, sul sistema di conduzione cardiaco. L'essenza di Gorse è sottile, agisce sul piano sottile dell'individuo, in questo caso equilibrando il sentimento della rassegnazione.

D: È importante in ogni caso riconoscere consciamente il proprio stato spirituale, affinché i fiori possano agire?

R: No. Come mostrano gli esiti dei trattamenti su bambini, piante e animali «inconsapevoli», basta una disposizione neutrale e aperta, perché l'efficacia possa svilupparsi. Malgrado ciò è sempre consigliabile confrontarsi con i principi dei fiori prescritti se possibile anche spiritualmente.

D: È possibile fare una diagnosi anche in base ai desideri di qualità positive o degli stati trasformati dei fiori di Bach?

R: No. I fiori aiutano solo se lo stato spirituale negativo è acuto o minaccia di diventarlo. Poiché i fiori di Bach provvedono soltanto a che qualcosa che è uscito dall'equilibrio ritorni in armonia, non ha senso prenderli finché uno stato è ancora in armonia. Così non si può assumere Holly per difendersi preventivamente dal diventare una volta nella vita gelosi.

D: È possibile combinare la essenzo-terapia anche con altri metodi olistici, per esempio la terapia prenatale o il rebirthing e simili?

R: A causa della finalità comune, tutti i metodi olistici per principio armonizzano bene; per le reazioni possibili non è sempre felice normalmente iniziare con l'assunzione di fiori di Bach e contemporaneamente cominciare una terapia olistica che interviene fortemente nel campo energetico. Anche per l'autosservazione è meglio impiegare il secondo metodo solo quando si conoscono le proprie esperienze con i fiori di Bach e si sanno valutare esattamente.

D: Nel corso di una Bach-terapia a una prima reazione deve sempre seguire un'intensificazione delle sensazioni?

R: No. Le prime reazioni si manifestano rapidamente e dipendono dal carattere e dalla situazione in cui si trova l'individuo. Fondamentalmente le prime reazioni sono da valutare sempre positivamente, poiché mostrano ancora una volta la problematica e rafforzano la motivazione al cambiamento.

Esempi: Ad una donna, separata da anni dal marito, che non aveva però né accettato del tutto né elaborato questa separazione, dopo la prima assunzione delle gocce emerse nuovamente tutto transitoriamente. Ella riconobbe in tutta la sua nitidezza il fatto che ella non avrebbe più voluto vivere qualcosa come il suo primo matrimonio. In base a questa decisione ella iniziò a sviluppare nuovi modelli di comportamento, che evitarono che si trovasse nuovamente in una situazione simile.

Il proprietario di una casa editrice dopo la prima assunzione di fiori di Bach prese un'influenza che lo costrinse a rimanere a letto per 10 giorni. Proprio questo egli non aveva potuto permettersi per 10 anni, perché aveva paura di non poter lasciare in asso la sua impresa.

Il medico inglese Dr. Alec Forbes ha osservato che i pazienti che erano passati improvvisamente dagli psicofarmaci ai fiori di Bach, talvolta lamentavano reazioni come vertigini, mal di testa, agitazione motoria e umore labile. Secondo la sua esperienza queste non sono prime reazioni ai fiori di Bach ma manifestazioni di privazione per l'improvvisa cessazione degli psicofarmaci.

D: Che cosa si fa quando si arriva a una prima reazione intensa?
R: Qui giova spesso Rescue, da prendere in aggiunta per alcuni giorni, più volte al giorno secondo il bisogno.
In casi del tutto estremi, che certamente sono rari, si consiglia di sospendere la somministrazione di fiori di Bach per uno o due giorni e di ricominciare quindi con dosi eventualmente ridotte. È meglio comunque sopportare a proprio vantaggio la prima reazione che è una crisi spirituale di guarigione. Sinora ogni crisi di guarigione è passata in breve tempo.

D: Quale potrebbe essere la ragione del fatto che dopo un'assunzione regolare entusiasta di una combinazione di fiori improvvisamente da un giorno all'altro non si ha più voglia di prenderne anche solo una singola goccia?
R: Per lo più è un segno che i fiori hanno sviluppato sino a questo momento la maggior efficacia possibile. Il ciclo è completo. Molti a questo punto smarriscono l'essenza, oppure il loro flaconcino cade e si rompe, o si dimenticano semplicemente di prendere le gocce.

D: Che cosa si può fare quando dopo un certo tempo la terapia si arena e si ha la sensazione di non andare più avanti?

R: Edward Bach consiglia i fiori Holly e Wild Oat, e precisamente Holly per i tipi più estroversi ed energici, Wild Oat per i tipi piuttosto passivi. Inoltre ha dato buoni risultati Star of Bethlehem come catalizzatore generale e «integratore della personalità». Se con un paziente, dopo un entusiasmo iniziale, si perviene improvvisamente allo scoraggiamento e ai dubbi, Gentian dà di nuovo la convinzione che le difficoltà del momento siano superabili.

D: Qual è la ragione per la quale qualcuno che ha preso i fiori di Bach per qualche mese e con successo repentinamente interrompe l'intera cura?
R: Probabilmente questi si è avvicinato per mezzo della terapia a uno dei suoi problemi essenziali, come per esempio l'impegno di una partecipazione che esige da lui un cambiamento molto decisivo: a questo punto può accadere che egli non voglia ancora affrontare questo cambiamento.

D: Le essenze di Bach agiscono allo stesso modo in tutti i continenti e in tutte le zone climatiche?
R: L'esperienza mostra che in India, in Australia e in Sud America i fiori di Bach vengono adoperati con lo stesso esito che in Europa. La ragione è che i concetti spirituali, gli archetipi umani che rispondono alle essenze floreali, per esempio l'amore, l'odio, la colpa e il pentimento, si trovano su un piano di consapevolezza, patrimonio collettivo di tutti gli uomini.

D: Due diversi terapeuti con il metodo Bach mi hanno prescritto lo stesso giorno due diverse combinazioni di fiori. Alcuni fiori coincidevano, altri erano completamente diversi. Una delle combinazioni è falsa?
R: Premesso che entrambi i terapeuti siano ugualmente qualificati, entrambe le diagnosi sono probabilmente esatte. Ogni processo diagnostico è una comunicazione energetica tra due individui, perciò che fa la diagnosi percepirà in modo particolarmente chiaro sempre determinati punti principali del problema nel carattere dell'altro, e cioè quelli che egli stesso ha già attraversato ed elaborato. In questi egli può aiutare al meglio l'altro; verranno consigliati i fiori corrispondenti. Poiché quasi ognuno ha nello stesso momento più di un problema, entrambe le diagnosi potrebbero essere simili ma non identiche.

Può certamente avvenire che un terapeuta percepisca generalmente più il processo superficiale e un altro quello profondo. In questo caso entrambi i terapeuti potrebbero teoricamente pervenire a due diagnosi completamente differenti ma malgrado ciò esatte. In qualità di paziente ci si dovrebbe sempre far curare da un terapeuta alla volta, altrimenti si ha troppa agitazione nel processo energetico e niente può svilupparsi bene.

D: Due donne della mia cerchia di conoscenti lamentavano una tossetta cronica che sussisteva da anni malgrado lunghi trattamenti medici. La prima ricevette Star of Bethlehem e White Chestnut. La seconda ricevette dallo stesso terapeuta Beech, Mimulus e Heather. Quindi tutti i cinque fiori agiscono contro la tossetta cronica?

R: Fondamentalmente no, poiché i fiori di Bach non sono pensati per la guarigione di sintomi organici ma per l'equilibrio di stati spirituali disarmonici. Indirettamente ogni fiore di Bach può agire contro la tossetta cronica se lo stato spirituale che reagisce al fiore è la causa della tosse. Nel caso della prima donna la causa scatenante era un'esperienza scioccante in giovane età (Star of Bethlehem). Ella però non aveva tratto nessuna conseguenza da questa esperienza (White Chestnut). Perciò ella si portava sempre inconsciamente in situazioni scioccanti simili, così che doveva di nuovo tossicchiare.

La seconda donna era da un lato molto sensibile (Mimulus), dall'altro lato particolarmente critica nei confronti degli altri (Beech) e con questo ancora molto egocentrica (Heather). Le esperienze quotidiane con gli altri, indigeribili per lei che si riferiva sempre a se stessa, venivano alla sera sempre «tossicchiate».

D: Da quando prendo i fiori di Bach sono più sensibile di prima, particolarmente reagisco ai disturbi atmosferici e ai cambiamenti repentini del tempo. Come avviene questo?

R: Siccome i fiori di Bach portano a un ampliamento della coscienza, si registrano più consapevolmente molte cose che prima non si percepivano e si reagisce in modo corrispondente al proprio tipo. A ciò si aggiunge il fatto che ci si trova in una fase di attività psichica più intensa nella quale internamente molte cose cambiano struttura ed esternamente si è più labili. Queste fasi sono molto preziose perché in tali stadi si possono raggiungere dei veri mutamenti. Se si riconoscono questi stati labili come stadi di passaggio positivi e li si accetta si trovano automaticamente i rimedi giusti e la strada per affrontarli. Un fiore di Bach che giova ad alcuni in caso di cambiamento repentino del tempo è Scleranthus.

D: La mia amica usa i fiori di Bach per il trattamento di malanni banali e momentanei, per esempio quando la mattina si alza col piede sinistro o quando ha sensi di colpa per essere stata eccessiva nei confronti della figlia. È sensato o ciò indebolisce l'effetto dei fiori in caso di necessità?

R: Non è possibile rispondere a questa domanda con un sì o un no chiari, poiché essa è una domanda che riguarda l'atteggiamento interiore e il grado di consapevolezza concernente la misura di aiuti che ci si aspetta. Fondamentalmente nulla osta al fatto che si riportino in equilibrio con i fiori di Bach stati spirituali negativi momentanei. Lo stesso Bach diceva: «È così semplice: se si ha freddo, bisognerebbe indossare qualcosa di caldo; se si ha fame bisognerebbe mangiare qualcosa; se ci si sveglia una mattina e non si ha fiducia in se stessi bisognerebbe prendere un paio di gocce di Larch».

D: Oggi si sente spesso parlare di cancro e di altre brutte malattie. Ho una paura tremenda di poterne essere colpito. Esiste un fiore di Bach anche contro questa paura?

R: Sì e persino più di uno. La paura è una delle cause principali della malattia. Una paura continua ci isola sempre più dalla nostra anima e con ciò dalla corrente di forza divina che ci conferisce una facoltà di resistenza naturale contro le malattie. È vero che in generale si può dire che Mimulus abbia dato buoni risultati per tutte le paure concrete, e anche contro la paura del cancro, ma non bisogna trattare questa paura così isolatamente, piuttosto comporre una combinazione adatta al suo carattere e proseguire la cura per un periodo di tempo.

D: Da qualche settimana prendo i fiori di Bach per una depressione che sussiste da molto e per la tensione interna. Il mio umore è migliorato ma ho avuto immediatamente un'eruzione cutanea e suppurazione. Adesso voglio interrompere le gocce perché evidentemente non mi fanno bene. È giusto?

R: No. Lei è soggetta a un equivoco nel quale lei traspone esperienze e riserve accumulate nel corso degli anni con i medicamenti tradizionali. Le essenze floreali agiscono in maniera diversa dai medicamenti. Esse servono alla purificazione e allo sviluppo mentale, spirituale e anche fisico. I mutamenti del suo umore, l'eruzione cutanea e la suppurazione mostrano che questo processo di purificazione è iniziato su tutti i piani. Le manifestazioni di purificazione organica scompariranno presto se lei adesso continua. Pensi però anche che le condizioni che ha creato nel corso di anni non possono essere abolite dall'oggi al domani. Aspetti e segua il suo processo di purificazione e di chiarificazione con interesse e amore. Così lo accelererà.

D: Ho una malattia ereditaria allo stomaco. I medici dicono che devo viverci insieme; ha quindi uno scopo iniziare una cura con i fiori di Bach?

R: In ogni caso invece di una cura lei può andare oltre la malattia con l'aiuto dei fiori, confrontandosi con questa malattia su un altro piano. Così troverà che cosa potrebbe dirle lo stomaco malato e quali debolezze caratteriali sono associate in lei e nella sua famiglia. Anche quando nella famiglia vi sono determinate proprietà caratteriali, non è necessario assumerle come date dalla natura e abituarsi. Al contrario esse rappresentano una sfida allo sviluppo della propria personalità. Se lei ha capito ciò acquisirà un altro atteggiamento verso la sua malattia, potrà sopportarla più facilmente e forse anche migliorare notevolmente.

D: (un membro di un gruppo religioso alternativo) Il nostro maestro dice che la meta è affidarsi al proprio Io e fondersi alle energie cosmiche. Che senso può avere allora lavorare al proprio carattere con i fiori di Bach? Non è meglio ignorare semplicemente i propri errori e seguire i dettami del maestro?

R: Questo è un malinteso oggi molto diffuso. Si può affidare solo ciò che si possiede ma non qualcosa che non si è ancora sviluppato per niente. Tutto ciò che si ignora, verso cui quindi non si indirizza alcuna energia consapevole, non può svilupparsi ma soltanto consolidarsi. Le religioni principali sono concordi sul fatto che il nostro compito scelto su questo pianeta consista principalmente nello sviluppare la personalità attraverso un aumento della coscienza e il riconoscimento delle leggi divine affinché essa possa diventare uno strumento raffinato con il quale ognuno renderà il proprio contributo in modo unico e individuale per il bene del tutto più grande. Attraverso le esperienze così accumulate la personalità si raffinerà sempre più da sé con un atteggiamento di fondo positivo. Essa svilupperà sempre più ciò che Edward Bach chiama virtù. Su questa via di sviluppo la personalità può considerare i suggerimenti dei maestri ma deve seguire esclusivamente il parametro della propria legge interiore. Poiché solo attraverso il collegamento della propria personalità raffinata con la propria anima è possibile un vero contatto con Dio. Solo così può avere luogo una «fusione con il Cosmo».

D: Nell'omeopatia vengono scoperti sempre nuovi rimedi, che al tempo di Hahnemann non si conoscevano ancora. Il sistema di Bach è ampliabile?

R: No. Edward Bach disse poco prima della sua morte che il suo sistema di 38 fiori abbraccia tutti gli stati spirituali umani collettivi essenziali e perciò esso è completo. Su questo piano collettivo rispondente non può esserci naturalmente niente di nuovo. Perciò il sistema di Bach non è né ampliabile né bisognoso di integrazioni.

D: Come per altri metodi omeopatici, anche in relazione ai fiori di Bach sorge l'inevitabile domanda sull'effetto placebo.

R: L'efficacia attendibile dei fiori di Bach su lattanti ed animali «inconsapevoli» dovrebbe convincere anche gli scettici che non si tratta qui di immaginazione ma di un effetto diretto anche se molto sottile.

D: Si potrebbe ottenere un effetto più intenso e rapido se si considerassero i fiori di Bach come *tintura madre* e si dinamizzassero come alte potenze omeopatiche a 30 CH, 200 CH, 1000 CH ecc.?

R: No, al contrario. All'infuori del complesso dei loro effetti sul piano omeopatico, i due metodi sono fondamentalmente diversi l'uno dall'altro. Nell'omeopatia l'individuo manipola il processo di formazione. Appropriandosi dei fiori di Bach si lascia agire la stessa natura. Con l'interazione dei quattro elementi: acqua, aria, terra e fuoco e con i fiori completamente maturi di piante selvatiche, la forza naturale divina si sviluppa sino alla più alta potenza armonizzante che come tale non può più aumentare.

D: La vibrazione di un flacone influenza l'altro se due bottiglie della serie si trovano aperte l'una accanto all'altra?
R: No, non c'è differenza se i flaconi stanno vicini aperti o chiusi.

D: Inavvertitamente ho toccato la pipetta del contagocce con la lingua. Ciò ha un effetto negativo sul contenuto del contagocce?
R: No. L'impregnazione energetica del concentrato floreale non ne viene influenzata.

D: Alcuni dicono che si possa riempire nuovamente la bottiglia iniziata col brandy senza indebolire l'efficacia dell'essenza, e poterla usare eternamente. È esatto?
R: No. Qui c'è sicuramente un malinteso. I concentrati floreali sono utilizzabili illimitatamente conservati normalmente ma naturalmente soltanto nella loro ricetta originale determinata armonicamente.

D: Nel preparare il mio contagocce inavvertitamente è stillata una goccia in più del previsto dal flaconcino di riserva. La miscela nel contagocce è adesso troppo forte o posso adoperarla?
R: Può adoperarla, poiché l'acqua nel contagocce è solo un additivo per l'energia floreale, e per quanto riguarda i fiori di Bach fondamentalmente non è possibile un dosaggio eccessivo, il numero esatto e la grandezza delle gocce di essenza non è determinante per il loro effetto. Lo dimostra anche l'esperienza, che combinazioni dei fiori preparate all'inglese (due gocce in un flacone da un'oncia o da 30 ml) mostrano lo stesso effetto di combinazioni preparate secondo la chiara formula 1/10 (ovvero due gocce in un flacone da 20 ml).

D: Ho sentito dire che si possono prescrivere le essenze floreali di Bach anche secondo l'oroscopo. È esatto?
R: No. Poiché ogni caso e ogni accaduto è in ogni attimo unico, una diagnosi ottimale può avvenire soltanto al momento in cui colui che cerca un consiglio e il consulente siedono personalmente l'uno di fronte all'altro. Al contrario tutti gli altri tentativi rimangono azioni imperfette che spesso danneggiano più che essere utili.

D: Mi disturbano le valutazioni morali che possono essere facilmente associate a una diagnosi di Bach. Non è possibile vedere ciò in una qualunque maniera più neutrale?

R: Questa domanda presenta due aspetti. Sicuramente nessuno può arrogarsi il diritto di giudicare realmente e valutare il comportamento di un altro, poiché nessuno sa quali leggi interiori segue un'altra anima. Come anche Bach disse in maniera calzante: qualcosa di cattivo è sempre soltanto qualcosa di originale o buono nel posto o al momento sbagliato. Ciò però non vuol dire che bisogna chiudere gli occhi di fronte ai tratti caratteristici evidentemente distruttivi di un altro in tiepida, cosiddetta benevola neutralità. Poiché questo atteggiamento, per quanto paradossale possa sembrare, è pure distruttivo. Se si considera la vita su questo pianeta come un processo gigantesco di apprendimento e di maturazione reciproci, ognuno è sollecitato a non rifiutare i processi di apprendimento che gli vengono offerti ma ad accettarli anche per il bene degli altri uomini e del tutto più grande. Ciò vuol dire anche che all'atteggiamento evidentemente distruttivo degli altri bisogna reagire impegnati secondo coscienza per non negargli la possibilità di apprendimento che egli cerca inconsciamente.

D: Le essenze di fiori di Bach agiscono più intensamente se somministrate come iniezioni?
R: No. Siccome le essenze agiscono sul piano energetico più rarefatto dell'uomo, un'iniezione non apporterebbe alcun vantaggio sull'organismo. Al contrario questa forma di applicazione relativamente «brutale» sarebbe estranea alla natura del suo sottile modo di agire ed è fondamentalmente da rifiutare.

D: È possibile produrre essenze senza alcol per gli alcolizzati?
R: Per quel che concerne il procedimento di produzione dei concentrati originali no. Malgrado ciò si può pervenire nel modo seguente a una assunzione di essenze quasi senza alcol: nella preparazione del contagocce si adopera per la conservazione aceto di frutta al posto dell'alcol. Quando si versano solo due gocce da un flacone in un contagocce da 30 ml riempito con acqua e aceto di frutta, la soluzione che si trova nel contagocce ha una percentuale di alcol dello 0,16% circa. Per la somministrazione si dà la dose di quattro gocce non direttamente sulla lingua ma in un bicchiere di acqua minerale o di succo di frutta dal frigorifero. Adesso la percentuale di alcol è ridotta ad una quantità non più misurabile e inoltre la sensazione del gusto viene smorzata dal liquido freddo.

Le essenze di Bach sono in vendita nelle migliori farmacie ed erboristerie, e sono distribuite, in esclusiva per l'Italia, da: GUNA s.r.l., via Vanvitelli 6, Milano.

I flaconi di riserva o le bottiglie in serie sono disponibili come set completo di tutti e trentanove i rimedi o anche in flaconi singoli. I concentrati sono straordinariamente abbondanti e ottenibili in due misure diverse:

10 ml = circa 140 gocce = il contenuto basta per circa 60 contagocce.
30 ml = 320 gocce = il contenuto basta per circa 180 contagocce.

Se regolarmente conservati questi flaconi di riserva hanno durata illimitata.
Rescue Remedy è disponibile anche in crema.

Indirizzi utili

■ The Dr. Edward Bach Centre
Mount Vernon, Sotwell - Wallingford, Oxon.
OX10 OPZ - Inghilterra

■ Mechthild Scheffer GmbH - Institut für Bach-Blütentherapie Forschung und Lehre («Istituto per la floriterapia di Bach, Ricerca e Insegnamento»)

Lippmannstrasse 57 - 22769 Hamburg - Germania
Tel.: 040.432577-10; fax: 040.435253

Mainaustrasse 15 - 8034 Zürich 8 - Svizzera
Tel.: 01.3823311; fax: 01.3823319

Börsegasse 10, A-1010 Wien
Tel. 01/533 86 40 0; Fax 01/533 86 40 15

REPERTORIO DEI SINTOMI

Alcolismo → **Agrimony** 43.

Amarezza → **Willow** 204.

Ambizione eccessiva → **Vine** 177.

Angosce vaghe → **Aspen** 48, **Rock Rose**, 151.

Ansia → **Aspen** 48, **Wild Oat** 96.

Apatia → **Clematis** 78, **Wild Rose** 200.

Apertura (mancanza di) → **Agrimony** 43, **Water Violet** 186.

Apprendimento (difficoltà di) → **Chestnut Bud** 68.

Approvazione (bisogno di) → **Cerato** 61.

Armonia (bisogno di) → **Agrimony** 43.

Arrendevolezza → **Gentian** 92, **Larch** 122.

Arroganza → **Beech** 52.

Attenzioni (bisogno di) → **Chicory** 73, **Heather** 99.

Autoaccuse → **Pine** 142.

Autocompassione → **Chicory** 73.

Autocontrollo eccessivo → **Cherry Plum** 64, **Water Violet** 186.

Autodisciplina (eccesso di) → **Rock Water** 155.

Autostima (mancanza di) → **Cerato** 61.

Coazione a ripetere → **Chestnut Bud** 68.

Collera → **Willow** 204.

Colpa (senso di) → **Crab Apple** 83, **Pine** 142.

Concentrazione (mancanza di) → **Clematis** 78, **Scleranthus** 160.

Condiscendenza eccessiva → **Agrimony** 43, **Centaury** 56.

Conflitti (timore dei) → **Agrimony** 43, **Centaury** 56.

Contaminazione (senso di) → **Crab Apple** 83.

Contatto (difficoltà di) → **Water Violet** 186.

Crisi di nervi → **Cherry Plum** 64.

Crudeltà → **Holly** 104, **Vine** 177.

Delusione → **Gentian** 92, **Willow** 204.

Depressione → **Wild Oat** 196.

Dialogo interiore logorante → **White Chestnut** 191.

Diffidenza → **Holly** 104.

Diplomazia (mancanza di) → **Impatiens** 118, **Vine** 177.

Disgusto di sé → **Crab Apple** 83.

Disperazione → **Gorse** 95, **Sweet Chestnut** 168.

Disponibilità eccessiva → **Centaury** 56.

Dominare (tendenza a) → **Chicory** 73, **Vine** 177.

Egocentrismo → **Heather** 99.

Equilibrio (mancanza di) → **Scleranthus** 160.

Esaurimento → **Olive** 138.

Esibizionismo → **Heather** 99.

Euforia → **Vervain** 172.

Evasione (bisogno di) → **Agrimony** 43.

Fanatismo → **Rock Water** 155, **Vervain** 172.

Fobie → **Mimulus** 126.

Frustrazione → **Holly** 104, **Wild Oat** 196.

Gelosia → **Holly** 104.

Giudizio (difficoltà di) → **Beech** 52.

Impazienza → **Impatiens** 118.

Impulsività → **Vervain** 172.

Inadeguatezza (senso di) → **Elm** 88.

Inaffidabilità → **Scleranthus** 160.

Inavvicinabilità → **Water Violet** 186.

Incertezza → **Gentian** 92, **Wild Oat** 196.

Incoerenza → **Scleranthus** 160.

Incomprensione → **Chicory** 73.

Incubi → **Aspen** 48.

Indecisione → **Larch** 122, **Scleranthus** 160, **Walnut** 181.

Inferiorità (senso di) → **Elm** 88.

Influenzabilità → **Walnut** 181.

Ingratitudine → **Chicory** 73.

Inibizione → **Larch** 122, **Mimulus** 126, **Water Violet** 186.

Inquietudine → **Agrimony** 43.

Insicurezza → **Walnut** 181.

Insoddisfazione → **Scleranthus** 160, **Wild Oat** 196.

Intolleranza → **Beech** 52.

Inutilità (senso di) → **Gorse** 95.

Invadenza → **Chicory** 73.

Invidia → **Holly** 104.

Iperattività → **Agrimony** 43.

Ipercriticismo → **Beech** 52.

Ira (accessi di) → **Cherry Plum** 64.

Irritabilità → **Impatiens** 118, **Vervain** 172.

Isolamento (senso di) → **Water Violet** 185.

Labilità → **Scleranthus** 160.

Lacerazione → **Cherry Plum** 64, **Scleranthus** 160.

Lavoro (difficoltà inerenti il) → **Hornbeam** 114, **Rock Water** 155.

Malinconia → **Mustard** 130.

Memoria (disturbi della) → **Clematis** 78.

Meticolosità eccessiva → **Crab Apple** 83.

Minimizzare (tendenza a) → **Agrimony** 43.

Nervosismo → **Vervain** 172.

Nostalgia → **Honeysuckle** 109.

Odio → **Holly** 104.

Orgoglio → **Water Violet** 186.

Ostinazione → **Oak** 134.

Panico → **Aspen** 48, **Rock Rose** 151.

Paura
  – di lasciarsi andare → **Cherry Plum** 64;
  – di perdere la ragione → **Cherry Plum** 64;
  – del fallimento → **Elm** 88, **Larch** 122;
  – del mondo → **Mimulus** 126;
  – per gli altri → **Red Chestnut** 147.

Pensieri persistenti → **White Chestnut** 191.

Permalosità → **Willow** 204.

Persuasione (volontà di) → **Chicory** 73, **Vervain** 172, **Vine** 177.

Pessimismo → **Gentian** 92.

Pianto facile → **Chicory** 73.

Possessività → **Chicory** 73.

Potere (senso di) → **Vine** 177.

Preoccupazione → **Red Chestnut** 147.

Prepotenza → **Vine** 177.

Presentimenti → **Aspen** 48.

Presunzione → **Vine** 177.

Rancore → **Willow** 204.

Rassegnazione → **Wild Rose** 200.

Responsabilità eccessive → **Oak** 134.

Rifiuto del presente → **Honeysuckle** 104.

Rimpianto → **Honeysuckle** 109.

Scetticismo → **Gentian** 92.

Sconforto → **Elm** 88, **Larch** 122, **Sweet Chestnut** 168.

Scoramento → **Gentian** 92, **Larch** 122.

Scrupolosità eccessiva → **Pine** 142, **Rock Water** 155.

Senso pratico (mancanza di) → **Clematis** 78.

Severità

   – verso se stessi → **Beech** 52, **Rock Water** 155;

   – verso gli altri → **Chicory** 73, **Vine** 177.

Sfiducia in se stessi → **Cerato** 61, **Larch** 122.

Sfortuna → **Willow** 204.

Sogni a occhi aperti → **Clematis** 78.

Solitudine (paura della) → **Heather** 99.

Sonno (disturbi del) → **Agrimony** 43, **White Chestnut** 191.

Sovraffaticamento → **Olive** 138.

Spirito vendicativo → **Holly** 104.

Spossatezza mentale → **Hornbeam** 114.

Stanchezza → **Hornbeam** 114, **Oak** 134.

Stati post-traumatici → **Star of Bethlehem** 164.

Stress → **Vervain** 172.

Suicidio (pensieri di) → **Cherry Plum** 64.

Superficialità → **Chestnut Bud** 68.

Superiorità (senso di) → **Water Violet** 186.

Superstizione → **Aspen** 48.

Tensione → **Impatiens** 118.

Terrore → **Rock Rose** 151.

Timidezza → **Mimulus** 126.

Vergogna di se stessi → **Crab Apple** 83.

Vittimismo → **Chicory** 73, **Willow** 204.

Volontà (mancanza di) → **Centaury** 56.

Volubilità → **Scleranthus** 160.

Vuoto (senso di) → **Sweet Chestnut** 168.

INDICE

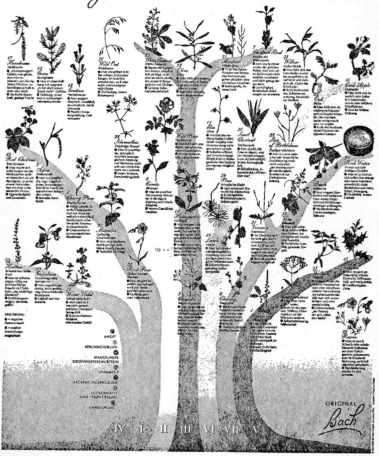

Presso gli Istituti per la fioriterapia di Bach, Ricerca e Insegnamento (indirizzi a pagina 243) si possono acquistare e ordinare libri, questionari, cassette e questo poster (prossimamente anche in lingua italiana).

Finito di stampare
nel mese di marzo 1998
per conto della TEA S.p.A.
dal Nuovo Istituto d'Arti Grafiche - Bergamo
Printed in Italy

TEA PRATICA
I nuovi manuali per vivere meglio

Mechthild Scheffer

UNA CHIAVE PER L'ANIMA

CONOSCERE SE STESSI CON I FIORI DI BACH

Per ristabilire l'armonia interiore
e trovare una nuova consapevolezza

TEA PRATICA

**IL NUOVO MANUALE
PER DIVENTARE
IL PROPRIO «TERAPEUTA DELL'ANIMA»**

MECHTHILD SCHEFFER

USO PRATICO dei FIORI DI BACH

TUTTE LE RISPOSTE SULLA FLORITERAPIA

Il manuale indispensabile
per servirsi della
**TERAPIA CON
I FIORI DI BACH**

❀ TEA PRATICA ❀

**IL MANUALE INDISPENSABILE
PER SERVIRSI DELLA
TERAPIA CON I FIORI DI BACH**